Dictionnaire des Indiens d'Amérique du Nord

Conception graphique
Pierre Clavère

Crédits photographiques
p. 46, 54, 77, 197 : Bridgeman Giraudon
p. 87 : Jeff Foott/Nature PL Hoa Qui
p. 129 : Walter Bibikow/AGE Hoa Qui
p. 142 : Pascale Beroujon/Hoa Qui
p. 185 : Murray Lee/AGE Hoa Qui
p. 115, 155, 188, 198 : Bibliothèque des Arts Décoratifs, Paris.
p. 13, 177, 207 : DR

© Casterman 2005
www.casterman.com

ISBN 2-203-13135-7
Dépôt légal : mai 2005
D. 2005/0053/90

Déposé au ministère de la Justice, Paris
(loi n°49.956 du 16 juillet 1949 sur les publications destinées à la jeunesse).

Imprimé en Italie.

Dictionnaire des Indiens d'Amérique du Nord

Texte et illustrations

Gilbert Legay

casterman

Depuis longtemps, le cinéma et la bande dessinée ont imposé une image stéréotypée de l'Indien d'Amérique du Nord, peu conforme à la variété des cultures et des modes de vie des habitants de ce vaste continent. Faire-valoir dans des histoires mettant en évidence le courage des pionniers ou l'impétuosité des « tuniques bleues », l'Indien a rarement le beau rôle : cruel, agressif, avec un sens de l'honneur et un mépris de la mort qui le rendent dangereux à fréquenter. Simplification abusive laissant croire, quand il s'agit de décrire leur mode de vie, que tous les Indiens chassaient le bison sur leurs rapides mustangs, dormaient dans des tipis et dansaient en hurlant autour de grands totems sculptés. Si ce portrait dessinait, approximativement, la silhouette de l'Indien vivant dans la Grande Plaine, le bison n'était pas partout présent sur le continent, les types d'habitations variaient d'est en ouest et du nord au sud, et les grands totems appartenaient à la culture des peuples pêcheurs de la côte Nord-Ouest. Dans la réalité, il y avait autant de différences entre un Nootka tueur de baleines de la côte Pacifique, un Pawnee chasseur de bisons et un Creek agriculteur de la vallée de l'Alabama, qu'il peut en exister en Europe (si l'on ne craint pas de flirter avec la caricature) entre un marin norvégien, un officier autrichien et un vigneron de Toscane : différences d'environnement, de langage, de mode de vie…

Face à cette mosaïque de cultures qui mériteraient d'être mieux connues, il est souhaitable et intéressant d'élargir la réflexion sur l'aventure, en tous points extraordinaire, de ces peuples que l'on a baptisés Indiens ou Amérindiens, du nom d'une terre qui n'était pas la leur (les Indes) ou d'un navigateur (Amerigo Vespucci) qui ne fut pas le premier à les rencontrer.

9

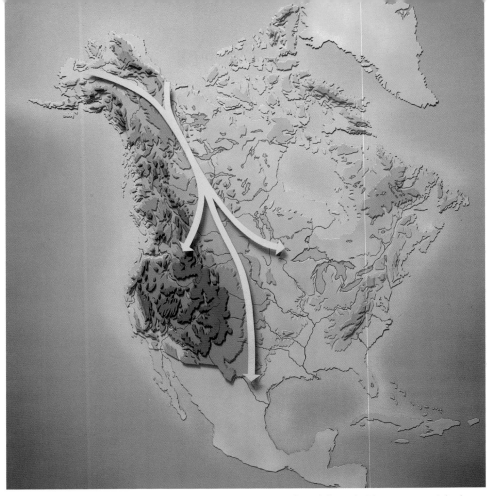

Les Indiens sont venus d'Asie à l'époque des glaciations. Ils ont traversé l'actuel détroit de Béring sur un pont de glace. Après quoi, ils se sont dispersés sur tout le continent.

Que l'aventure commence

Comme l'humanité entière, les peuples indiens tiennent leurs racines d'Afrique et des lentes migrations qu'entreprit *Homo Sapiens* au fil des glaciations et des réchauffements planétaires. Quand la masse des glaces augmentait, le niveau des eaux baissait et les liaisons entre les continents (Béring, Panama…) émergeaient complètement, constituant des ponts naturels qu'empruntaient les animaux… et derrière eux les chasseurs !

C'est ainsi que certains d'entre eux passèrent de Sibérie en Alaska lors de deux périodes particulièrement favorables (40 000-30 000 et 25 000-10 000 av. J.-C.). Les corridors de pénétration furent les vallées du Mackenzie, au nord, et du Yukon, à travers l'Alaska. Par des voies incertaines et glacées, sur la trace des animaux qu'ils poursuivaient, les hommes s'engagèrent irrésistiblement vers le sud… Ils virent alors s'ouvrir devant eux un pays immense où la nature était prodigue de ses bienfaits : des lacs et des rivières aux eaux poissonneuses, une alternance de forêts profondes aux essences multiples et de plaines riches d'un gibier abondant.

Pendant des millénaires, génération après génération, les futurs « Indiens » progresseront, investissant l'Amérique du Nord, puis le centre et le sud du continent. Des examens au carbone 14 ont permis de déceler des traces de présence humaine datant de 12 000 ans av. J.-C. et cela en Patagonie, région distante du détroit de Béring de 18 000 kilomètres. Performance vraisemblable pour les vagues de migration les plus anciennes à raison d'un déplacement annuel d'un ou deux kilomètres. D'autres examens, effectués avec la même technique, confirment d'ailleurs cette progression du nord au sud : 23 000 ans au Mexique, 17 000 et 32 000 au Brésil, 24 000 et 25 000 au Pérou.

Le hasard fait bien les choses… Les conditions étaient alors réunies pour une expérience unique dans l'histoire du genre humain. Tout s'était passé comme si une autorité supérieure, une sorte de Grand Manitou, tel un chercheur dans son laboratoire cosmique, avait décidé de modifier le programme prévu, en isolant une partie de l'humanité et en la laissant se développer en totale autarcie.

Échanger et se comprendre

L'isolement, on le sait, durera jusqu'au mois d'octobre 1492, date à laquelle Christophe Colomb, au service des souverains espagnols, jeta l'ancre devant l'île de Guanahani (San Salvador des Bahamas). Le navigateur génois, persuadé avoir atteint les rivages extrêmes de l'Asie, donna à ces terres le nom d'« Indes occidentales » et, tout naturellement, à leurs habitants la qualité… d'Indiens. Après cette découverte, et avant que l'on ne parle de nouveau continent, beaucoup pensèrent pendant tout le XVIe siècle que l'on avait affaire à une terre étroite, une sorte de bannière facile à traverser, et qu'au-delà on découvrirait une autre mer bordant les Indes orientales. L'aventure de Vasco de Balboa renforça cette idée préconçue. En 1513, apprenant des Indiens locaux qu'au-delà des forêts et des crêtes s'étendait une vaste étendue d'eau, Balboa traversa l'isthme de Panama et, après dix jours de marche, découvrit l'océan Pacifique le 25 septembre. Mais un autre sujet accaparait l'attention : que cette nouvelle terre fût peuplée d'hommes échappait à toute logique et posait aux Européens du XVIe siècle une question aussi perturbante que si, de nos jours, l'humanité apprenait la présence d'êtres humains sur une planète inconnue.

Les premiers colons, en référence à la Bible, firent des Indiens les descendants de Japhet, le troisième fils de Noé. Jusqu'au XVIIIe siècle, les érudits avancèrent diverses hypothèses pour expliquer leur présence ; ils ne pouvaient être que les descendants d'hommes ayant échappé à un cataclysme : disparition de l'Atlantide, chute de Carthage, dispersion des tribus d'Israël… et des linguistes trouvèrent des similitudes entre leurs dialectes et certaines langues anciennes : hittite, phénicienne, celte… Mais les spéculations historiques et linguistiques intéressaient peu les Espagnols qui lançaient leurs capitaines à l'assaut de nouvelles conquêtes. Ayant abordé le nouveau continent par les Antilles, les Espagnols établirent leurs bases à Cuba et à Saint-Domingue. De là, ils développèrent leur conquête vers Panama, le Mexique, le Pérou, le Chili, l'Argentine et le Paraguay.

L'appel du Nord

L'exploration vers le nord leur semblait, alors, beaucoup moins prometteuse. Pour étancher leur soif d'or et de richesses, ils furent néanmoins plusieurs à poursuivre des chimères sur les terres mystérieuses des Indiens au nord du golfe du Mexique. De Ponce de León (1513) à Pamfilo de Narvaez (1528), de l'expédition de Soto (1539) à celle de Coronado (1540), les tentatives espagnoles ne seront qu'une sombre litanie de pillages, d'atrocités sans nom, de tueries gratuites. À la folle témérité des conquistadors, à leur cruauté, répondent le courage indomptable et la sauvage détermination des Indiens. Pourtant, le premier contact n'est pas toujours mauvais. Si les tribus du bassin du Mississippi sont naturellement méfiantes, celles du Sud-Est se montrent accueillantes quand la détestable réputation des Espagnols ne les a pas touchées. Mais, au premier geste mal interprété, les rapières sortent de leur fourreau et la tuerie commence... Face à la moindre résistance, les Espagnols ne savent imaginer que la logique du poignard, du feu et de la terreur. Un seul comprend qu'il aurait été possible d'agir autrement dans l'intérêt de tous. Il s'appelle Nuñez Cabeza de Vaca. Rescapé de l'expédition de Narvaez, il erre pendant plus de sept ans parmi les tribus du Texas et réalise que l'on peut s'entendre et vivre avec les Indiens à condition de les respecter et de ne pas attenter à leur liberté. Au contact des Français et des Anglais, les Indiens du Nord-Est vont vivre une histoire différente. Très vite, les deux puissances poursuivent sur le même continent une lutte pour l'hégémonie mondiale dont l'essentiel se déroule en Europe et sur les mers. Les tribus indiennes fourniront les gros bataillons des unités combattantes, sans pour autant être concernées par l'enjeu... Seul objectif à court terme, choisir celle des deux puissances la plus acceptable, les Indiens étant obsédés, à juste titre, par la sauvegarde de leur indépendance et le respect de leur territoire. La quasi-totalité des tribus optera pour la France contre les Anglais, à l'exception, mais elle est de taille, des Iroquois.

La marche vers l'Ouest

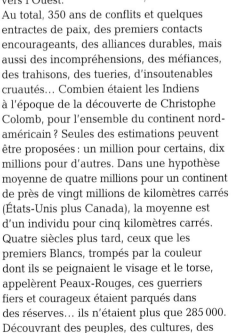

Quand en 1783, au terme de deux guerres, les soldats de l'Union Jack devront s'incliner devant la pugnacité des hommes des États-Unis, les tribus se retrouveront face à un nouvel État dont l'avenir dépend de son expansion vers l'Ouest. Au total, 350 ans de conflits et quelques entractes de paix, des premiers contacts encourageants, des alliances durables, mais aussi des incompréhensions, des méfiances, des trahisons, des tueries, d'insoutenables cruautés... Combien étaient les Indiens à l'époque de la découverte de Christophe Colomb, pour l'ensemble du continent nord-américain ? Seules des estimations peuvent être proposées : un million pour certains, dix millions pour d'autres. Dans une hypothèse moyenne de quatre millions pour un continent de près de vingt millions de kilomètres carrés (États-Unis plus Canada), la moyenne est d'un individu pour cinq kilomètres carrés. Quatre siècles plus tard, ceux que les premiers Blancs, trompés par la couleur dont ils se peignaient le visage et le torse, appelèrent Peaux-Rouges, ces guerriers fiers et courageux étaient parqués dans des réserves... ils n'étaient plus que 285 000. Découvrant des peuples, des cultures, des croyances, les envahisseurs européens et chrétiens, forts de leur prestige et de leurs armes, auraient pu s'avancer pacifiquement, exercer leur curiosité, nouer des relations fraternelles, se pencher sur leurs coutumes et profiter de leurs connaissances… mais il n'en fut rien ! Seule s'exerça la loi du glaive et du feu appliquée par des hommes de violence obsédés par le rapt des richesses et la possession des terres.

Quel chemin ?

Depuis cent ans, la population indienne a quintuplé et, en 1990, plus de la moitié d'entre elle vivait dans les villes. Cette proportion d'Indiens citadins tend à croître régulièrement depuis. Certaines tribus ont tiré profit des richesses souterraines de leur réserve, de paysages somptueux attirant les touristes ou d'une législation favorable sur les établissements de jeu. D'autres, beaucoup plus nombreuses, végètent sans grand projet, minées par le chômage et l'alcoolisme. Selon John Collier, commissaire du Bureau des Affaires Indiennes et célèbre défenseur des tribus dans les années 1930, les Indiens auraient été préservés des effets de la révolution industrielle grâce à « leur passion pour la personne humaine alliée à leur passion de la terre et de ses réseaux de vie… » Ils seraient ainsi devenus les symboles de la lutte à mener face aux menaces des pollutions industrielles et nucléaires, pour le respect des peuples et des cultures, pour le simple droit à la différence.
En concluant sa préface pour notre *Atlas des Indiens d'Amérique du Nord* (1993), Philippe Jacquin écrivait : « Dans le film *Danse avec les loups*, le chaman sioux Oiseau Bondissant, heureux de pouvoir dialoguer avec le lieutenant John Dunbar, devenu un Sioux, heureux de leur amitié, lui livre une confidence : "Quel chemin TOI et MOI." En ces quelques mots se trouve condensée toute la difficulté des hommes à se comprendre, des cultures à s'écouter. » Devant les menaces qui pèsent sur la planète et ses habitants, il est utile de poursuivre l'interrogation : « Quel chemin pour EUX et pour NOUS ? »

Gilbert Legay

LES TERRES INDIENNES

Le continent nord-américain a été divisé par les anthropologues en dix régions correspondant chacune à un biotope. Dans chaque région, les Indiens des différentes tribus partageaient sensiblement les mêmes conditions de vie, tant pour le climat que pour les caractéristiques et les ressources végétales et animales de leur environnement.

L'Arctique

C'est la zone du froid extrême qui s'étire du Labrador aux rives méridionales de l'Alaska. La région est très inhospitalière, pratiquement dépourvue de végétation (quelques mousses, lichens…), et elle contraint les hommes à déployer des trésors d'ingéniosité et de ténacité pour survivre. Les seules ressources alimentaires pour les Inuits étaient les mammifères marins (phoques, morses, cétacés…), des poissons et quelques oiseaux en été. Les Inuits parlaient l'eskimo-aleut ; ils étaient nomades en été, cherchant le meilleur site pour y trouver subsistance, et sédentaires en hiver.

Le Subarctique

Cette immense région (3 200 000 km²) occupe la plus grande partie du Canada et l'intérieur de l'Alaska. La partie ouest est une zone de montagnes et de toundra, couverte de neige durant la plus grande partie de l'année. Le sud et l'est du Subarctique sont des terres de taïgas, forêts boréales de bouleaux, de trembles et de résineux, traversées de rivières et parsemées de nombreux lacs.

Mousses et buissons de myrtilles forment les sous-bois. Le climat est fort rude, aux hivers très longs avec de courtes journées et des chutes de neige abondantes. L'été est doux, mais les moustiques obligent les individus à rester couverts, voire à migrer vers des zones moins fréquentées par les insectes. Le caribou est la principale ressource alimentaire, complétée par les poissons et le petit gibier. La moitié ouest était occupée par des tribus de langue athabascane (ainsi les Beavers, Chipewyans, Dogribs, Kutchins…) et l'est par des tribus de langue algonquiane (comme les Crees, Montagnais, Naskapis...).

La Grande Forêt

La région (que les Américains nomment Woodlands) était limitée au nord par la vallée du Saint-Laurent, la région des Grands Lacs et, à l'est et au sud, par la vallée du Mississippi et la vallée de l'Ohio jusqu'au littoral atlantique. Elle représentait le cinquième des États-Unis actuels et était couverte d'une épaisse forêt dont il ne resterait qu'un centième ! La terre était fertile, l'eau abondante, la flore et la faune fournissaient toutes les ressources nécessaires aux Indiens ; ils étaient chasseurs, pêcheurs et agriculteurs (principalement le maïs) et puisaient dans cette immense forêt la matière indispensable à la fabrication des armes et des ustensiles familiers, à l'édification des habitations ou des palissades protectrices des villages. Les langues algonquiane (Fox, Sauks, Menominees, Shawnees, Powhatans, Ojibwas…) et iroquoiane (Hurons, Iroquois…) se partageaient la région.

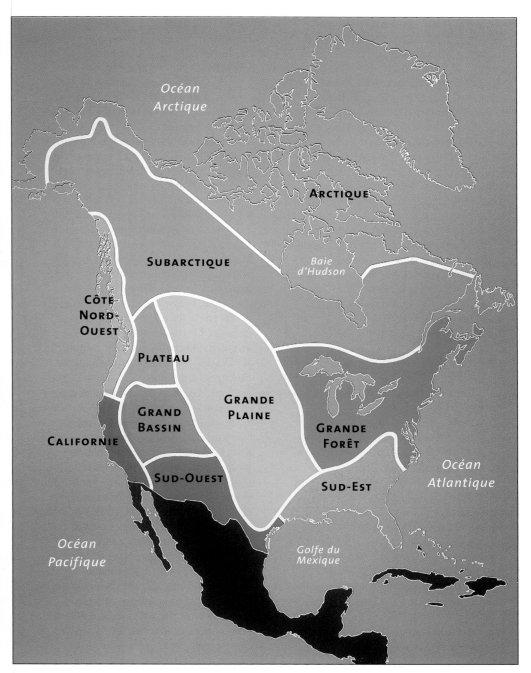

Océan
Arctique

ARCTIQUE

SUBARCTIQUE

Baie
d'Hudson

CÔTE
NORD-
OUEST

PLATEAU

GRAND
BASSIN

GRANDE
PLAINE

GRANDE
FORÊT

CALIFORNIE

SUD-OUEST

SUD-EST

Océan
Atlantique

Océan
Pacifique

Golfe du
Mexique

Le Sud-Est

Au sud de la Grande Forêt, incluant les monts Appalaches, la Floride et le littoral du golfe du Mexique, cette région chaude et humide jouit d'un environnement favorable. Les terres basses, sillonnées de cours d'eau sinueux et baignées par le delta du Mississippi, reçoivent des dépôts d'alluvions rendant les sols extrêmement fertiles. De vastes marais plantés de cyprès et de roseaux complétaient le décor.
Les Indiens y étaient sédentaires et cultivaient le maïs, les courges, le tournesol. Ils pouvaient aussi chasser un abondant gibier et pêchaient les poissons qui peuplaient les rivières. Les principales tribus de ces zones hospitalières étaient de langue muskogeane (Calusas, Chickasaws, Chocktaws, Creeks, Timucuas…) avec quelques enclaves algonquiane, siouane (Catawbas, Yuchis…) et iroquoiane (Cherokees).

La Grande Plaine

Au cœur du continent nord-américain, la Grande Plaine s'étendait du sud du Canada au golfe du Mexique, et d'est en ouest, de la vallée du Mississippi aux montagnes Rocheuses. Quelques tribus étaient sédentaires et cultivaient le maïs, mais la plupart étaient nomades et se déplaçaient dans leur aire de vie, au gré du passage des troupeaux de bisons parmi les immenses étendues herbeuses. Comme le caribou pour les Indiens du Subarctique, le bison subvenait à tous les besoins des chasseurs : pour la recherche de nourriture, bien entendu, mais aussi pour se procurer les matériaux indispensables à la vie de la communauté (peaux et fourrures, corne et os, nerfs et graisse). Le climat était continental (grands froids de décembre à mars, inondations au printemps lors de la fonte des neiges, longs étés secs et parfois étouffants) et les tribus majoritaires (Assiniboins, Crows, Dakotas, Iowas, Mandans, Osages, Poncas…) étaient de langue siouane. Mais la Grande Plaine était aussi parcourue en tous sens par des tribus de langues algonquiane (Arapahos, Atsinas, Blackfeet, Cheyennes…), caddoane, shoshoneane (Comanches) et par les Kiowas qui constituaient un isolat linguistique.

Le Sud-Ouest

Cette région englobe les États actuels de l'Arizona, du Nouveau-Mexique et la partie méridionale du Texas jusqu'au golfe du Mexique. Terre de contrastes, cette région offre au voyageur un spectacle grandiose où alternent canyons, déserts, montagnes, falaises en colonnes tronquées, plateaux posés sur le sable telles d'immenses barques retournées, les mesas… Où que l'on se trouve, les reliefs limitent l'horizon des hommes. Un paysage brossé en couleurs chaudes où se mêlent toutes les nuances du brun, de l'ocre, du rouge et du jaune… le tout sous un ciel d'un bleu permanent. Le climat est excessif, froid la nuit, accablant de chaleur le jour, sec et aride en été, glacial et neigeux en hiver. Parfois, un violent orage éclate, transformant le lit asséché des cours d'eau, les *arroyos*, en torrents boueux. Le désert se métamorphose brusquement et se décore de millions de fleurs qui attendaient la pluie. Les tribus sont nomades (Apaches) ou sédentaires (Navajos et Pueblos) de langue athabascane, shoshoneane (Hopis) ou hokane (Yumas). Le petit gibier et le maïs sont leurs principales ressources alimentaires.

La Californie

La Californie s'étend du nord au sud, de la frontière canadienne à la frontière mexicaine et, d'est en ouest, des Rocheuses aux rivages du Pacifique. Le climat est tempéré et agréable, et les Indiens profitaient d'abondantes sources de nourriture. Les tribus (Hupas, Miwoks, Mojaves, Pomos, Yuroks…) étaient pacifiques pour la plupart, sans doute conquises par la douceur du climat ; l'éventail des langues très ouvert sans que cela ne génère de mésententes. L'été, on vivait presque nu ou couvert d'un simple pagne. Pendant le bref hiver, on portait un long manteau de peau et on chaussait des mocassins pour les rares déplacements.

Le Grand Bassin

Englobant totalement le Nevada, l'Utah et d'importantes zones de l'Idaho, du Wyoming et du Colorado, le Grand Bassin est sans doute la région la plus inhospitalière et la plus pauvre : au centre, le Colorado a creusé d'immenses canyons parsemés de buissons ; au nord et à l'est, la Snake et la Green River sillonnent de vastes prairies ; les zones montagneuses sont couvertes d'épaisses forêts de conifères. Les Indiens de langue shoshoneane (Bannocks, Shoshones, Paiutes, Utes, Washos…) consacraient l'essentiel de leur temps à la recherche de nourriture : racines, insectes, lézards, petits rongeurs et oiseaux faisant étape dans leur migration vers le nord dans les marais et les étangs. En été, ils grimpaient en altitude pour récolter les cônes des pins pignons. La proximité de l'eau favorisait la pêche du maximum de poissons, lesquels, vidés et séchés, devenaient des réserves pour les jours difficiles.

Le Plateau

Relais entre le nord et le sud, véritable enclave entre la côte Pacifique et la Grande Plaine, la région du Plateau offre un paysage somptueux et diversifié : montagnes boisées, vallées profondes, canyons insondables, rivières alternant eaux limpides et tumultueuses, immenses prairies d'herbes et de broussailles… C'était une zone d'échanges commerciaux pour les tribus de langues salishane, shahaptiane, algonquiane et athabascane (notamment les Nez-Percés, Palouses, Salishs, Thompsons, Walla Wallas, Yakimas…). Cette mosaïque de cultures, certaines influencées par les sociétés très structurées de la côte, d'autres ayant adopté le mode de vie des Indiens des Plaines, se retrouve dans une activité commune : la pêche au saumon dans le réseau des rivières Columbia et Fraser et leurs affluents.

La côte Nord-Ouest

Étroit ruban de terre s'étirant sur toute la côte Pacifique entre la Californie et l'Alaska (2 400 kilomètres du nord au sud), bordée par une barrière quasi continue de hautes montagnes côtières, cette région bénéficiait d'un climat tempéré. Les vents du Pacifique offraient un temps relativement doux par rapport à celui qui régnait à l'intérieur des terres, mais très humide et pluvieux. La végétation était luxuriante : des forêts de conifères géants couvraient la majeure partie du territoire. Les tribus tiraient de la mer l'essentiel de leurs ressources alimentaires (thon, harengs, cétacés, phoques, dauphins…). Si les dialectes salishans dominaient (Kwakiutls, Makahs, Nootkas, Tsimshians…), plusieurs isolats linguistiques de tribus majeures (Haidas, Tlingits…) posent encore le mystère des origines de ces peuples aux cultures très particulières.

LES LANGUES INDIENNES

Dès le début du XIXe siècle, les Américains ont tenté d'établir une nomenclature des tribus et des langues indiennes. La notion de tribu ne recouvrait pas la même réalité pour les Blancs et pour les Indiens eux-mêmes : telle tribu qui semblait constituer une entité bien déterminée était en fait le regroupement de deux ou trois tribus, voire une confédération… À l'inverse, plusieurs noms semblant désigner des tribus différentes s'avéraient concerner un seul et même groupe d'Indiens. La même incertitude s'appliquait pour dresser la liste des langues indiennes, tâche d'autant plus difficile qu'il s'agissait de langues parlées et non écrites. Elles étaient fort différentes les unes des autres, comme peuvent l'être le grec et l'anglais, le portugais et le suédois.

Langues et dialectes

Au sein d'une même famille linguistique, les Indiens pouvaient éprouver de grandes difficultés à communiquer, difficultés aggravées parfois par des différences culturelles. Ce patchwork était la conséquence des migrations successives de peuples nomades, vivant en petits groupes autonomes, chacun définissant au fil du temps sa propre identité culturelle et linguistique. Vers 1840, on dénombrait une cinquantaine de langues principales, regroupant chacune plusieurs langues ou dialectes. Depuis, les estimations se sont affinées : on pense qu'au minimum 500 langues étaient pratiquées par les Indiens d'Amérique du Nord à l'arrivée des Blancs, et 221 langues ont été identifiées et regroupées en 73 langues principales. Pour être ainsi réunies dans un même groupe, des langues doivent présenter des rapprochements significatifs, tant au niveau du vocabulaire que dans la structure grammaticale, laissant à imaginer qu'elles sont issues d'une même langue principale. Des similitudes entre les caractères de plusieurs langues principales, ainsi définies, permettent aux linguistes de remonter encore plus loin dans le temps et d'envisager une source commune, ancienne de plusieurs milliers d'années.

De l'Asie au Nouveau Monde

Cette recherche est évidemment difficile et incertaine. Des rapprochements avec des langues asiatiques, lesquelles ont elles-mêmes évolué dans le temps, sont à la limite du possible. Une seule exception concerne l'eskimo-aleut dont la filiation avec le chukotian du Nord-Est sibérien est évidente pour les spécialistes. Des 73 langues principales, 31 sont ce que les linguistes appellent des « isolats », c'est-à-dire des langues parlées par un seul groupe humain, les 42 autres regroupant chacune plusieurs langues ou dialectes. Les travaux effectués à ce jour ont conduit à répertorier 12 familles linguistiques et plusieurs isolats pour le continent nord-américain.

Les familles linguistiques
(situation au début du XVIIe siècle)

• L'eskimo-aleut

Déclinée à travers de nombreux dialectes, cette famille linguistique est celle des peuples qui vivent à proximité du cercle polaire, des îles Aléoutiennes et des côtes de l'Alaska aux rives orientales du Labrador.

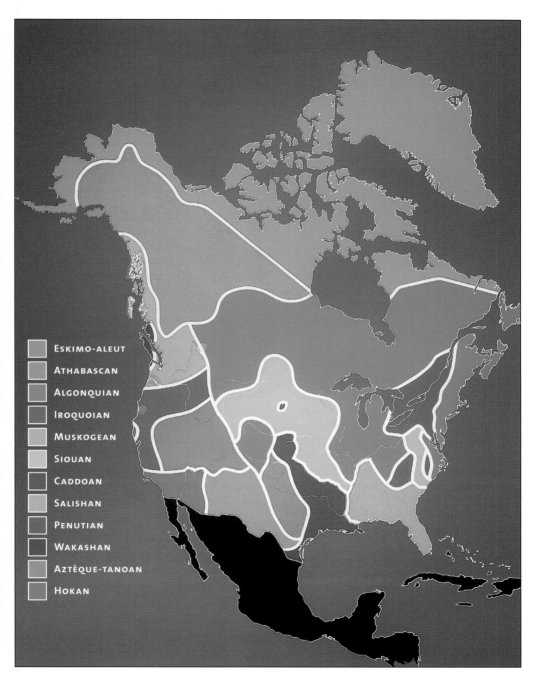

ESKIMO-ALEUT
ATHABASCAN
ALGONQUIAN
IROQUOIAN
MUSKOGEAN
SIOUAN
CADDOAN
SALISHAN
PENUTIAN
WAKASHAN
AZTÈQUE-TANOAN
HOKAN

19

• L'athabascan

(ou athapascan)

Sont incluses dans cette famille la grande majorité des tribus de l'Ouest canadien, du cercle polaire à la rivière Saskatchewan, quelques tribus de la côte Pacifique (dont les Hupas) et une enclave importante dans le Sud-Ouest américain (Navajos et tous les groupes Apaches : Chiricahua, Mescalero, Jicarilla et Lipan).

même pour d'autres membres de cette même famille linguistique. Une filiation entre l'iroquoian, d'une part, et le siouan et le caddoan, d'autre part, est défendue par de nombreux linguistes.

• Le muskogean

Sont regroupées dans cette famille les langues des peuples du Sud-Est américain. Une thèse contestée lie le muskogean à l'algonquian.

• L'algonquian

Cette famille regroupe près de vingt langues distinctes, du Labrador à la région des Grands Lacs (tribus Naskahi, Ottawa, Sauk, Fox…), des Grands Lacs aux montagnes Rocheuses (Cree, Ojibwa, Blackfoot…) et de la baie d'Hudson à la vallée de l'Ohio (Illinois, Shawnee…). À cette zone principale s'ajoutent d'abord la région de la côte Atlantique limitée par l'estuaire du Saint-Laurent et par la baie de Chesapeake (tribus Micmac, Mahican, Delaware…), ensuite une enclave dans la Grande Plaine centrale entre la Platte River et l'Arkansas, englobant une partie des États du Wyoming, du Colorado, du Nebraska et du Kansas (Cheyenne, Arapaho).

• L'iroquoian

Regroupe les langues parlées par les tribus de la confédération iroquoise (Cayuga, Oneida, Onondaga, Seneca, Mohawk à l'est de la région des Grands Lacs, les langues des Hurons (au nord du lac Érié), des Tuscaroras (côte de la Caroline du Nord), des Cherokees (Tennessee). Ces langues étaient parfois fort différentes, aux limites de la compréhension

• Le siouan

Les tribus de cette famille linguistique semblent être venues vers le XIIIe siècle de la région des Grands Lacs pour investir la Plaine (tribus Dakota, Assiniboin, Osage, Iowa, Mandan, Crow…). Partageaient-ils, avant cette période, les mêmes territoires que les Iroquois ? Ce qui confirmerait la thèse de la filiation siouan-iroquoian… comme peut également le laisser supposer la proximité des enclaves siouan (Yuchis et Catawbas) et iroquoian (Tuscaroras).

• Le caddoan

Famille linguistique regroupant les tribus Caddo, Wichita, Pawnee, Arikara, elle n'est, pour certains spécialistes, qu'une simple branche du siouan.

• Le salishan

Cette famille est localisée dans une zone comprenant la partie méridionale de la Colombie-Britannique et les États américains de Washington, de l'Idaho et du Montana. Selon certains linguistes, le salishan est relié à l'algonquian, et pour d'autres au wakashan.

• Le penutian

Famille aux contours variables
suivant les linguistes,
elle englobe des tribus de
Californie (Maidu, Miwok,
Wintun, Yokut…) et la branche
shahaptian (Nez-Percé, Cayuse…).

• Le wakashan

Localisé à proximité de l'île de Vancouver
(tribus Nootka et Makah) et plus au nord
sur la côte (Kwakiutl et Bella Bella).
Lien non prouvé avec l'algonquian.

• L'aztèque-tanoan

Comprend la branche
shoshonean (Shoshones,
Utes, Paiutes, Bannocks,
Comanches…) du Grand Bassin
et la branche tanoan (Pimas,
Papagos, Hopis, Acomas, Taos…).

• Le hokan

Famille du Sud-Ouest
américain incluant, aux
confins de la Californie et
de l'Arizona, les tribus Mojave,
Pomo, Chumash, Havasupai,
Karok, Yuma… et, plus au nord,
la tribu Washo.

Plusieurs « isolats » sont à ajouter à cette
liste. Aucune des hypothèses visant à lier
l'une ou l'autre de ces langues aux familles
athabascan, algonquian ou penutian
n'a rallié la majorité des linguistes.
L'haida, **le tlingit** et **le tsimshian** situés
tous trois sur la côte Nord-Pacifique.
Le kootenai au sud-est de la Colombie-
Britannique.

Le kiowan aux confins du Texas.
Le weitspekan des Yuroks, langue
que certains rattachent à l'algonquian.
Le yukian propre à la tribu Yuki
et à quelques communautés satellites.
Le karankawan et **le coathuiltecan** concernent
les tribus Karankawa et Tonkawa.
Le lutuamian des tribus Klamath et Modoc que
certains spécialistes rattachent au penutian.
Le chimakuan particulier à la tribu
Quileute que les spécialistes considèrent
comme intermédiaire entre le salishan
et le wakashan.

Malheureusement, ce bilan ne correspond plus
à la situation actuelle. Depuis trois siècles,
de nombreux dialectes et langues ont disparu
et d'autres, encore parlés, sont gravement
menacés… Pendant plus de cinq siècles,
la Grande Plaine fut parcourue en tous sens
par les tribus nomades. Elles appartenaient
à sept familles linguistiques (l'athabascan,
l'algonquian, le penutian, le siouan, le
caddoan, le shoshonean et le kiowan)…
donc en grande difficulté pour communiquer
entre elles quand leurs intentions étaient
autres que guerrières. La réponse fut la
mise au point d'un langage par signes,
sorte d'esperanto gestuel, permettant de
partager des informations ou de commercer.
Ainsi Apaches, Blackfeet, Nez-Percés,
Crows, Pawnees, Bannocks, Kiowas…
et les autres purent-ils échanger autre chose
que des flèches ou des coups de tomawak.
Ce mode de communication était pratiqué
avec une grande rapidité, les signes
s'enchaînant rapidement les uns derrière
les autres. Les trappeurs d'abord, les soldats
ensuite se familiarisèrent avec ce langage,
moyen indispensable pour développer le
commerce des peaux pour les uns, d'établir
des relations de confiance pour les autres.
Mais en ont-ils suffisamment usé ?

21

Abenakis

• De *Wabanaki*,
« Ceux de la
terre du Levant ».
• Langue :
algonquian.
• Établis au nord
de l'actuel État du Maine.
• Chasseurs et pêcheurs.
• Hommes aux mœurs simples,
courageux, redoutables guerriers, les
Abenakis formaient une confédération
de TRIBUS. Ils furent christianisés par les
Jésuites dans le courant du XVIIᵉ siècle.
• Alliés des Français, ils menèrent une
guerre intense contre les Anglais.
Ces derniers se vengèrent en
massacrant la communauté abenaki
fondée par le père Sébastien Rôle
à Norridgewock (1724).
• Affaiblis par les combats et la VARIOLE,
les Abenakis déposèrent
les armes en 1754. Sept cents d'entre
eux combattirent cependant aux côtés
des Américains pendant la guerre
d'Indépendance.
• De rares descendants vivent au
Québec, dans le Maine et le Vermont.

Acosta
José de (1540-1599)

Provincial des Jésuites espagnols au
Pérou. On lui doit une *Histoire naturelle
et morale des Indes.* Il fut le premier à
émettre l'hypothèse de la migration des
Indiens sur le continent américain, non
par la mer, mais par une terre reliant
le nord-ouest du continent à l'Asie.

Adena (peuple)

Il y a 2 500 ans, dans la vallée de
l'Ohio, à proximité de l'actuelle ville de
Cincinnati, des hommes se sont installés.
D'où venaient-ils ? Le mystère reste
entier car leur taille plus élevée
et leur physique plus robuste, comme
en témoignent les squelettes trouvés
par les archéologues, semblent les
différencier de leurs contemporains et
voisins. Certains scientifiques pensent
qu'ils venaient de l'Amérique centrale,
d'autres au contraire optent pour
l'hypothèse de populations descendues
du nord. Agriculteurs, ils se distinguaient
par un culte des morts très élaboré,
plaçant dans les tombes de multiples
objets et bijoux. D'importants monticules
(d'où le surnom de *Mound Builders*
donné au peuple Adena) étaient érigés

en forme d'animaux : serpents, oiseaux, tortues... Les monticules n'étaient pas des tombes collectives mais des monuments associés à des rituels funéraires au sens encore mystérieux (le plus important est le *Great Serpent Mound* près de Cincinnati qui mesure 400 m de long).

Adobe

De l'arabe *At-töb*, brique, devenu *adobar* en espagnol. Brique constituée d'un mélange de terre et de végétaux séchés, moulé dans un cadre en bois et cuit au soleil. Ces adobes servaient aux constructions des peuples du Sud-Ouest, les Hopis en particulier.

Agriculture

Nomades, nombre de tribus ne pratiquaient que la CHASSE, la PÊCHE et la cueillette. Seules les tribus sédentaires ou semi-nomades se livraient à l'agriculture : maïs, courges, haricots, patates, tomates... et aussi tabac, dont l'usage accompagnait divers cérémonies et rituels. L'agriculture était pratiquée par trois groupes de tribus :
• Toutes celles qui occupaient le tiers oriental des États-Unis actuels, de la région des Grands Lacs, au nord, au rivage du golfe du Mexique, au sud : Iroquois, Hurons, Delawares, Cherokees, Chickasaws, Choctaws, Creeks... Les Indiens fertilisaient leurs champs en coupant les arbres et en brûlant

(technique identique à l'essartage, ou brûlis, pratiqué en Europe).
• Quelques tribus semi-nomades de la Grande Plaine se livraient simultanément à la chasse aux BISONS et à la culture du maïs.
• Les tribus des déserts arides du Sud-Ouest suppléaient à la pauvreté de leurs ressources par une agriculture rudimentaire : Hopis, Navajos, Yumas, Zunis, Havasupaïs... Les ancêtres des Papagos et des Pimas avaient développé jusqu'au XIIIe siècle des techniques très sophistiquées d'irrigation (*voir* Hohokam).

Rateau avec bois de cervidé

Grattoir

Marteau

Binette avec omoplate de bison

25

Ahtenas

- « Peuple de la glace ».
- Langue : athabascan.
- Établis autour du bassin de la rivière Copper.
- L'embouchure de la Copper fut découverte en 1781 par le Russe Nagaieff. Les expéditions russes suivantes rencontrèrent l'hostilité des Ahtenas et beaucoup se terminèrent tragiquement (Samoylof en 1796, Lastochkin en 1798, Klimoffsky en 1819, Gregorieff en 1844, Serebrannikof en 1848). Dès l'achat de l'Alaska par les États-Unis en 1882, d'autres tentatives (Abercrombie en 1884 et Allen en 1885) marquèrent le début de relations pacifiques.

Aigle

L'aigle doré *(Aquila chrysaetos)*, habitant des régions montagneuses du continent, peut atteindre 2,40 m d'envergure. C'est un rapace puissant, à la vue perçante, qui se nourrit de rongeurs et parfois de proies plus importantes. Son plumage est brun foncé avec une zone dorée sur la nuque. Les individus jeunes ont des PLUMES blanches marquées de noir, très recherchés par les Indiens pour leurs coiffes.

D'une envergure légèrement inférieure est l'aigle des marais à tête jaune. C'est un pêcheur qui vit au bord des lacs et des rivières sur tout le continent nord-américain à l'exception de la zone arctique. C'est lui qui figure sur les armoiries des États-Unis.

Aleuts

- Nom d'origine incertaine. Pourrait être issu du mot *aliat* (île) du dialecte des Chuckchis du Kamchatka.

• Langue divisée en dialectes *Atka* et *Unalaska*. Variante du groupe linguistique *Eskimo-Aleut* comme tous les peuples Inuits de l'Alaska au Groënland.
• Vivaient aux îles Aléoutiennes et sur la côte sud-ouest de l'Alaska.
• Connus depuis Bering en 1741 et Nerodchikof en 1745, les Aleuts eurent à subir les agressions et l'exploitation des trafiquants blancs. Leur nombre diminua dangereusement jusqu'au rachat de l'Alaska par les États-Unis.

Algonkins
• Leur nom, dérivé du dialecte malecite *Elakomkwik*, signifie : « Ils sont nos alliés. » Une autre interprétation trouve l'origine du nom dans la langue micmac : *Algoomeaking*, « Ils harponnent les poissons ». Champlain les appela *Algoumequin* et les Iroquois *Adirondacks*, « Mangeurs d'arbres ».
• Langue algonquiane, à laquelle ils ont donné leur nom.
• Occupaient le nord du Saint-Laurent, les abords du lac Huron à l'est de Montréal, et les deux rives de la rivière Ottawa.
• Liés aux Chippewas dont ils constituaient la division orientale (*voir* Ojibwas).
• Vivaient en bandes de quelques centaines de personnes, divisées en groupes de chasse. Les Algonkins étaient aussi pêcheurs et cultivateurs de fèves et de maïs. Habitaient de grandes maisons de bois couvertes d'écorce de bouleau.
• Fidèles alliés des Français dès leur rencontre avec CHAMPLAIN (1603). Menèrent une guerre permanente contre les IROQUOIS.
• 4 à 5 000 Algonkins vivent aujourd'hui dans l'est de l'Ontario et l'ouest du Québec.

Algonquian
voir Langues p. 20

27

Alligator

(Alligater mississipiensis).
Parfois long de six mètres, c'est
le plus grand reptile du continent
nord-américain. Son habitat s'étend
de la côte de la Caroline du Nord
jusqu'à la plaine côtière du Texas sud,
et particulièrement dans les Everglades
de Floride et à l'embouchure du
Mississippi. Il est aussi appelé
caïman (d'un mot caraïbe *acayonman*).
En voie de disparition, l'alligator fait
maintenant l'objet d'une protection
fédérale qui assure la survie de
l'espèce. Les Indiens de ces régions ne
craignaient pas de l'affronter. L'extrême
sud de la Floride est fréquenté par le
crocodile américain *(Crocodylus acutus)*
qui n'excède pas quatre mètres et dont
la couleur est vert sombre alors que
l'alligator est presque noir.

Altar

Ce terme anglais qui signifie « autel »
est l'un des symboles de la spiritualité
des Indiens d'Amérique, présent depuis
leur préhistoire. Ce peut être un simple
entassement de pierres près d'une
source, dans une excavation, près
d'un arbre, tout lieu où les esprits
sont supposés habiter ou peuvent
se manifester. Ce peut être
aussi un lieu de sacrifices
ou d'offrandes, une simple
pierre à l'intérieur du *tipi*
où l'Indien brûlera des
herbes séchées de la prairie.
Chez les Hopis, il s'agit d'une
élaboration très complexe d'objets
symboliques : sculptures de bois
représentant les esprits, masques,
pipes, gourdes, instruments ponctuant
les cérémonies, crécelles, sifflets, épis
de maïs…, l'ensemble appelant la pluie
et une récolte abondante.

Amherst
baron Jeffrey (1717-1797)

Maréchal anglais, placé par William
Pitt à la tête de l'armée envoyée
en 1758 au Canada. Il dut largement
ses premiers succès à l'expérience
et à l'énergie de ses lieutenants,
James Wolfe et William Johnson.
Après la guerre contre les Français,
Amherst fut tenu en échec par les
Indiens qu'il méprisait et haïssait.

28

Il eut la triste initiative de faire distribuer aux peuples autochtones des couvertures contaminées par la VARIOLE, inaugurant une technique de génocide qui fit des milliers de victimes.

Anasazis

Ils occupèrent vers 1000 av. J.-C. une vaste région communément appelée les « Quatre Coins » (*Four Corners*), car le centre géographique en était le point de jonction des États actuels de l'Utah, du Colorado, de l'Arizona et du Nouveau-Mexique. Chasseurs puis cultivateurs, les Anasazis devinrent sédentaires, installant leurs maisons à charpente de bois sur les MESAS. Progressivement, ils firent évoluer leur technique et mirent au point un type d'habitat à base d'adobe. À leur apogée (XIIIᵉ siècle), ils édifièrent des villages troglodytes au flanc des falaises (Mesa Verde, canyon de Chelly). Le choix de tels sites fut sans doute inspiré par le souci des Anasazis de se mettre à l'abri des agressions. Les femmes s'affairaient dans les maisons ou s'adonnaient à des travaux de POTERIE et de VANNERIE. Les hommes chassaient, travaillaient aux champs ou se réunissaient dans la KIWA pour tisser ou discuter. La vie était rythmée par les saisons et les différentes cérémonies qu'imposaient leurs relations avec les KACHINAS, ces esprits qui détenaient tant de pouvoirs et dont il fallait se concilier les faveurs.

Antilope pronghorn

Ce gibier, abondant mais difficile à chasser, était une source alimentaire de première importance pour les Indiens de l'Ouest. Capable de pointes de vitesse supérieures à 70 km/h et de bonds de plus de 6 m, le pronghorn (ou antilocapre) est l'animal le plus rapide du Nouveau Monde.

Apaches

• De *Apachu*, mot zuni signifiant « ennemi ». Eux-mêmes s'appelaient *Inde* ou *Tinneh* : « le Peuple ».
• Langue : athabascan.
• Peuplaient l'Arizona, le Colorado, le Nouveau-Mexique pour les deux groupes d'Apaches :

Western Apache

Apache Tonto

siècle une lutte permanente contre les Espagnols et les Comanches… tout en pillant les paisibles peuples Pueblos. Après l'annexion du Nouveau-Mexique, un traité fut signé en 1852 entre Américains et Apaches… mais très vite les hostilités reprirent sous la conduite de chefs tels MANGUS COLORADO ou COCHISE. Ce dernier signa un traité en 1872. Après une trêve de courte durée, les Apaches entrèrent à nouveau en dissidence (1876-1886) avec Victorio et GERONIMO pour chefs.
• Réserves au Nouveau-Mexique, en Arizona et en Oklahoma. Estimés à 5 000 en 1680, les Apaches seraient près de 50 000 aujourd'hui.

- à l'est : Lipan Apaches, Jicarilla Apaches (« Petit Panier »), Mescalero Apaches (« Peuple du Mescal »), Kiowa Apaches ;
- à l'ouest : Chiricahua Apaches (« Montagne »), Tonto Apaches, Western Apaches, White Mountain Apaches.
• Les Apaches constituaient un ensemble hétérogène, chaque tribu se différenciant par la situation géographique et l'influence de ses voisins ; ainsi les Apaches de l'Est furent influencés par les Indiens des Plaines. Farouches guerriers, ils étaient tous, à l'exception des Kiowa Apaches, de remarquables vanniers.
• Venus du nord au Xe siècle (certains auteurs avancent l'hypothèse d'une migration beaucoup plus ancienne), les Apaches menèrent dès le XVIIe

Western Apache

Apalachees

- Du choctaw *Apalachi* : « Peuple de l'autre côté » (de la rivière Alabama).
- Langue : muskogean.
- Installés au nord-ouest de la Floride.
- Seraient venus vers le XIVe siècle de l'ouest du Mississippi, amenant avec eux la tradition des temples bâtis sur des tertres. Redoutables guerriers, ils étaient aussi pêcheurs, chasseurs et cultivateurs. Ils commerçaient avec les Timucuas.
- Convertis par les missionnaires espagnols au XVIIe siècle, les Apalachees furent victimes des Creeks et des colons anglais (1703). Les survivants soutiendront la révolte des Yamassees (1715).
- Au début du XIXe siècle, la nation apalachee n'existait plus.

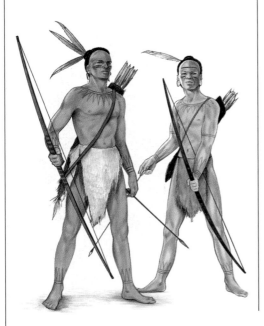

Appaloosa

Nom dérivé de *Paloos*, nom de la tribu vivant sur les rives de la rivière Palouse dans les États de Washington et d'Idaho. Race de chevaux développée par les Indiens du nord-ouest des États-Unis et remarquable par leur robe claire tachée de brun (*voir aussi* Cheval).

Arapahos

- Du pawnee *Tirapihu* ou *Carapihu*, « commerçants ». Eux-mêmes s'appelaient *Invna-ina*, « Notre peuple ». Pour leurs alliés Cheyennes, les Arapahos étaient les « Hommes du ciel » *(Hitanwo'iv)*.
- Langue : algonquian.
- Furent d'abord sédentaires. Venus du Manitoba, ils franchirent le Missouri et migrèrent vers le sud et le Wyoming où ils adoptèrent le nomadisme des chasseurs de bisons. Comme toutes les tribus des Plaines,

31

Arc & flèches

Comme chez la plupart des peuples primitifs, l'arc est l'arme principale des Indiens. En bois de frêne, de saule, de bouleau, de chêne, de noyer, d'if, de cèdre, suivant les régions, sa hauteur varie de 1,50 à 1,80 m ; le bois est parfois travaillé à la chaleur pour obtenir la courbure idéale. La corde de l'arc est le plus souvent faite à partir de tendons d'animaux mais peut aussi être une tresse de fibres végétales, ou une lanière de peau. Exceptionnellement, l'arc est constitué de lamelles de cornes solidement assemblées : plus court, c'est aussi une arme plus performante réservée aux guerriers les plus valeureux et les plus adroits. Chez les Cheyennes, certains arcs étaient d'une matière inconnue de leurs propriétaires ; leurs qualités et leur origine

les Arapahos déplaçaient leurs campements selon les migrations des bisons.
• En compagnie des Cheyennes, ils luttèrent contre les Dakotas, les Kiowas et les Comanches jusqu'au traité de paix de 1840. Ils furent ensuite en guerre contre les Shoshones, les Utes et les Pawnees. Les Arapahos participèrent avec les Cheyennes et les Sioux aux luttes contre les Blancs jusqu'au traité de Medecine Lodge (1867) et leur exil vers l'OKLAHOMA.
• 3 000 à la fin du XVIIIe siècle. Évaluation incertaine aujourd'hui (peut-être 4 000 à 5 000) dans deux réserves (l'une à Wind River au Wyoming et l'autre en Oklahoma avec des Cheyennes).

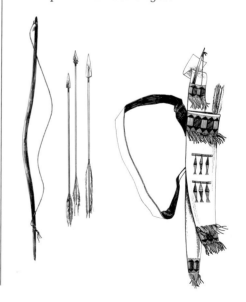

mystérieuse leur conféraient un grand attrait. En fait, il s'agissait de fanons de baleine, lames cornées d'une grande solidité pouvant atteindre 1,80 m, et que les Cheyennes se procuraient en commerçant avec les Blackfeet. L'utilisation du CHEVAL pour la chasse ou la guerre imposa aux Indiens de diminuer la taille des arcs afin qu'ils soient plus maniables pour un cavalier. Les flèches sont rangées dans un carquois en peau (daim, ours, bison, loutre...) décoré de motifs en couleur ou orné de peaux de petits rongeurs et de plumes. Il est placé dans le dos de telle sorte que les flèches soient faciles à saisir et que l'archer puisse décocher le trait aussi vite que possible. À ce jeu, les Indiens étaient d'une adresse et d'une rapidité impressionnantes. Selon les témoins, certains étaient capables d'expédier huit flèches avant que la première ne soit retombée au sol... et comme précision se conjuguait avec rapidité, les Indiens étaient des chasseurs et des guerriers d'une grande efficacité.

Le bois des flèches, choisi pour sa solidité, est quelquefois durci au feu. Les flèches de chasse diffèrent des flèches de guerre : les pointes des premières sont longues et solidement fixées pour être extraites facilement du gibier. Les secondes sont attachées plus légèrement afin de rester dans le corps de l'ennemi touché. À moyenne distance (10 à 20 m), les flèches sont redoutables et peuvent traverser de part en part le corps d'un homme ou d'un animal.

Les Indiens des plaines équipaient leurs flèches de pointes faites avec des éclats d'os. Avec les Blancs arrive le fer, et tous les débris de métal sont utilisés par les Indiens pour devenir pointes de flèches... mais, dès la fin du XVIIIe siècle, des marchands avisés pratiquaient un commerce hautement lucratif en échangeant des pointes métalliques toutes faites contre des fourrures.

Arikaras

• Du pawnee *Ariki* : « corne »
en référence à leur coiffure. Leur
propre nom était *Tanish* ou *Sannish* :
« les Hommes ». En langage par signes,
ils étaient les « Mangeurs de maïs ».
• Langage : caddoan.
• Établis sur les rives du MISSOURI,
entre la rivière Cheyenne et
l'embouchure de la Platte (Dakota
du Nord), au voisinage des Mandans
et des Hidatsas.
• Bien que de langue différente, les
Arikaras étaient proches des Mandans
et des Hidatsas par leur mode de vie :
beaux vêtements de daim, huttes en
terre, villages entourés de palissades,
culture du maïs.

• À la fin du XVIIIᵉ siècle, ils
entretinrent de bonnes relations
commerciales avec les Français. Ils
furent visités par LEWIS et CLARK en 1804.
Mêlés à des conflits entre négociants
en fourrures, ils se trouvèrent aussi
sur la route des émigrants vers l'Ouest.
Les Dakotas et la variole (1837 et 1856)
achevèrent de les anéantir. En 1880,
Arikaras, Mandans et Hidatsas furent
regroupés dans la réserve de Fort
Berthold (Dakota du Nord).
• Évalués à 3 000 en 1780, à 460 en 1970.

Armes à feu

Les Indiens n'ont disposé des
« bâtons à feu » des Blancs que très
progressivement. Les conquistadors
qui partirent à la découverte au nord
du golfe du Mexique étaient équipés
d'arbalètes et d'arquebuses. Sans nier
leur efficacité, ces armes présentaient
un inconvénient majeur : conçus pour
les guerres européennes, elles
s'avérèrent inadaptées aux combats
que les Espagnols devaient livrer aux
Indiens. Leur réarmement nécessitait
une suite d'opérations longues de 50
à 60 secondes, temps suffisant pour
qu'un bon archer indien expédie une
douzaine de flèches sur ses adversaires.
Si les Indiens furent vite convaincus
que, sur le strict plan de l'efficacité,
leurs armes traditionnelles n'étaient
pas inférieures, ils ne surent en tirer
aucun enseignement pour mieux
résister à un adversaire en moindre
nombre. Affaire de stratégie ?

Peut-être… plus vraisemblablement, conséquence du respect que leur inspiraient des armes au fonctionnement mystérieux, leur rappelant le tonnerre et la foudre, et qui portaient la mort à plusieurs centaines de mètres. Dès le début du XVIe siècle, les Anglais, installés autour de la baie d'Hudson, et les Français, actifs dans la vallée du Saint-Laurent jusqu'aux Grands Lacs, sont en concurrence pour commercer avec les Indiens. Les Crees et les Assiniboins qui sont leurs principaux interlocuteurs, diffusent les armes européennes bien au-delà, vers l'ouest et le sud. Bientôt les fusils venus de l'est s'échangent contre les chevaux qui remontent du sud : double diffusion des biens les plus convoités par les Indiens, à partir des villages Mandans et Hidatsas au Haut-Missouri. Certaines tribus avaient parfaitement compris que, possédant

chevaux et armes à feu, elles s'assuraient une suprématie définitive sur les tribus voisines. Les Européens, de leur côté, n'agissaient pas innocemment en vendant des armes. Les Français avaient le désir de s'attirer les bonnes grâces des Indiens et de s'en faire des alliés contre les Anglais, lesquels par une juste réciprocité se comportaient de même envers les Français.

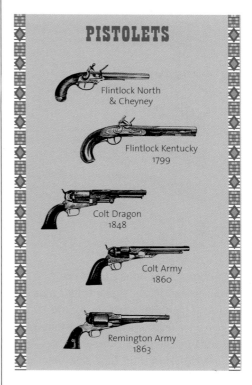

PISTOLETS

Flintlock North & Cheyney

Flintlock Kentucky 1799

Colt Dragon 1848

Colt Army 1860

Remington Army 1863

Jusqu'au début du XIXe siècle, les armes détenues par les Indiens, mousquets ou fusils à pierre, étaient le plus souvent de piètre qualité, modèles anciens ou en mauvais état. Rares étaient les guerriers méritant

35

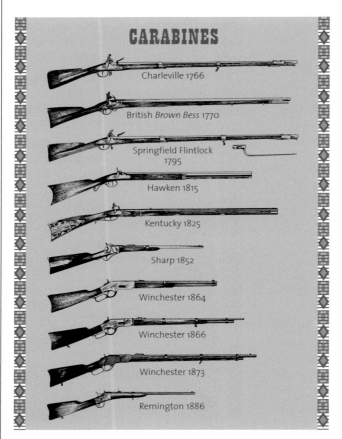

CARABINES

Charleville 1766

British *Brown Bess* 1770

Springfield Flintlock 1795

Hawken 1815

Kentucky 1825

Sharp 1852

Winchester 1864

Winchester 1866

Winchester 1873

Remington 1886

destruction et de mort à travers trois conséquences : au détriment du commerce intertribal, les Indiens vont privilégier les échanges avec les Blancs pour se procurer ce qu'ils ne produisaient pas eux-mêmes : poudre, munitions… et alcool. Cette dépendance les incitait à intensifier la chasse aux animaux dont la fourrure constituait la principale monnaie d'échange. Ce faisant, les Indiens, bousculant leur mode traditionnel de vie, participaient à la destruction de leur environnement, tâche funeste que les Blancs surent parfaitement achever au XIXe siècle.

le qualificatif de bons tireurs ; sans entraînement sérieux, ils étaient plus enclins à gaspiller leurs munitions qu'à égaler les Blancs dans ce domaine. Certains même se satisfaisaient de la possession d'un fusil, symbole de puissance, même si l'arme n'était pas en état de tirer.

Sans doute le passage de l'armement traditionnel aux armes à feu était-il inéluctable pour les Indiens confrontés au monde des Blancs… Ce fut aussi une accélération dans un processus de

En fournissant des armes, les Européens incitèrent les tribus les plus belliqueuses à se jeter sur leurs voisins : ainsi, au XVIIe siècle, les Iroquois, imprudemment équipés par les Hollandais, agressent successivement les Hurons, les Neutrals, les Algonquins et les Ériés (totalement exterminés en 1653). À cette intensification des guerres interindiennes s'ajoute la participation aux guerres entre les puissances européennes. Alliées des Français contre les Anglais pour certaines tribus, alliées des Anglais contre les Français pour d'autres, aux côtés des Anglais contre les Américains, les tribus indiennes étaient parties prenantes dans des conflits qui n'étaient pas les leurs et où elles avaient tout à perdre quel que soit le vainqueur.

Ces effets touchent d'abord les tribus du Nord-Est mais, durant tout le XIXe siècle, l'enchaînement incessant des combats menés pour s'opposer à l'irrésistible envahissement de leur terre par les colons conduira les Indiens jusqu'à leur défaite… c'est-à-dire leur extermination ou leur déportation.

Art

Nombreux étaient les domaines où le sens artistique et l'habileté des Indiens pouvaient s'exprimer. Il est possible de classer leurs créations en deux catégories.

• Les objets liés à des usages fonctionnels et quotidiens : vêtements, poteries, tissages, vanneries, bijoux, objets divers…

• Les objets et les modes d'expression accompagnant les cérémonies religieuses ou rituelles : sculptures, masques, instruments de musique, musique, danse…

La variété et la richesse obligent à consacrer à chaque thème une rubrique spéciale (*voir* bijoux, danse, masques, musique, poteries, tissages, vannerie, vêtements…).

Assiniboins

• De l'ojibwa *Usin-upwawa* : « Il cuisine en utilisant des pierres. » Les Dakotas les appelaient *Hohe*, « Rebelles » ; les Français, les « Guerriers de pierre ».

• Langue : siouan.

• Venus de l'est et des lacs Winnipeg et Nipigon, ils étaient établis à la fin du XVIIIe siècle au sud du Canada, le long des rivières Saskatchewan et Assiniboine.

• Peuple réputé accueillant, nomade et chasseur de BISONS.

• Issus des Yanktonais au XVIIe siècle, les Assiniboins prirent leur distance avec les autres tribus Sioux et s'allièrent même aux Crees contre les Dakotas. Menèrent, en outre, une lutte incessante contre les SIKSIKAS. Ils furent durement touchés par la variole en 1836.

• 8 000 individus en 1829, 4 000 après l'épidémie, 2 800 en 1985 dans les RÉSERVES du Montana et de l'Alberta.

Athabascan

voir Langues p.20

Atsinas

• De *Atsena*, terme blackfoot signifiant « Hommes du ventre ». Ils s'appelaient eux-mêmes *Haaninn* ou *Aaninena*, « Hommes de l'argile blanche ».

Tribu issue des Arapahoes qui les appelaient *Hitunewa*, « Mendiants ». Pour les Français, ils étaient les Gros-Ventres (des Plaines) d'où une confusion fréquente avec les Hidatsas, connus comme les Gros-Ventres (de la Rivière).
• Langue : algonquian.
• Venus du Manitoba, les Atsinas occupaient le nord du Montana, aux abords du Missouri.
• Chasseurs nomades.
• Furent, au même titre que les Blackfeet, de farouches opposants aux trappeurs et d'irréductibles adversaires des Sioux (Crows, Dakotas, Assiniboins) jusqu'en 1867, où ils s'allièrent aux Crows contre leurs protecteurs Blackfeet et furent sévèrement battus.
• 3 000 individus en 1780. Un millier environ de nos jours, dans une RÉSERVE du Montana (Fort Belknap) qu'ils partagent avec les Assiniboins.

Attakullakulla

(1700-1780)

Chef cherokee, connu des Blancs sous le nom de *Little Carpenter*. Il fit partie en 1730 d'une délégation de chefs indiens reçue en Angleterre et décida de jouer l'alliance avec les Britanniques pour sauvegarder l'indépendance de son peuple. Malgré son habileté et sa diplomatie, les traités successifs signés avec l'Angleterre contraindront les CHEROKEES à céder des parts importantes de leur territoire.

Badlands

Région désolée, montagneuse, traversée de profonds canyons de l'ouest du Nord-Dakota où eut lieu, en août 1864, une bataille de plusieurs jours entre les Sioux et une colonne d'émigrants encadrée par les forces du général Alfred Sully.

Baleines

Certaines tribus de la côte Pacifique tiraient l'essentiel de leurs ressources des cétacés (baleines franches, baleines à bosse, baleines grises, baleines bleues... et aussi orques, tueurs de baleines). Certains pêcheurs téméraires des tribus Nootka et Makah n'hésitaient pas à les poursuivre en haute mer... D'autres tribus (Haïda, Tlingit, Tsimishan ou Chumash de Californie du Sud) attendaient plus prudemment qu'un cétacé vienne s'échouer sur le rivage.

Bannocks

• Contraction de leur propre nom : *Bana'kwut*.

• Langue : shoshonean.

• Établis au sud-est de l'Idaho, puis dans l'ouest du Wyoming et sud du Montana.

• Disposant de chevaux depuis le début du XVIIIe siècle, les Bannocks chassaient le BISON. Ils se déplaçaient par petites bandes, vivant dans des huttes de roseau couvertes de nattes d'herbe en été, et dans de petits abris à demi enterrés en hiver. Ils pêchaient également le SAUMON. Habiles vanniers.

• Fiers et ombrageux, les Bannocks souffrirent des ÉPIDÉMIES de variole. Leurs conflits avec les Blackfeet et les Nez-Percés, puis avec les Blancs, furent incessants. Défaits par l'US Army sur la Bear River (1863), ils furent assignés dans la RÉSERVE de Fort Hall (Idaho). Vaine révolte en 1878.

• Environ 5 000 individus en 1829, les Bannocks seraient un millier en 1990.

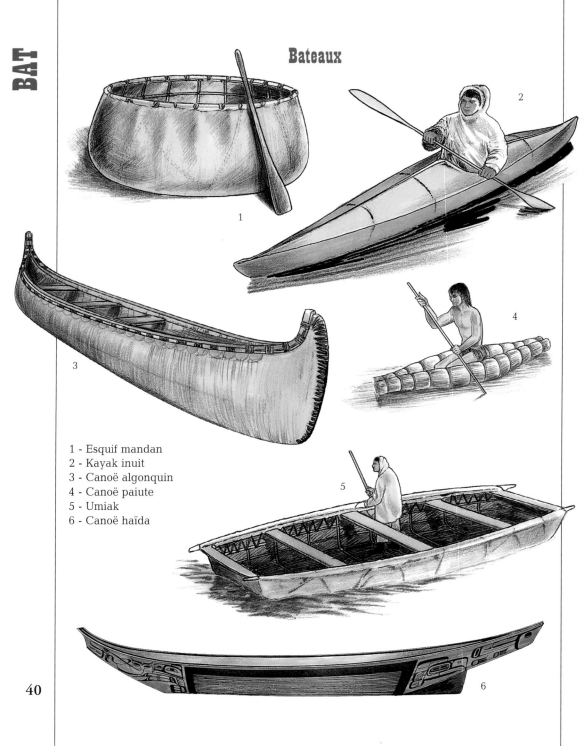

Bateaux

1 - Esquif mandan
2 - Kayak inuit
3 - Canoë algonquin
4 - Canoë paiute
5 - Umiak
6 - Canoë haïda

Bateaux

Pour l'essentiel, les embarcations utilisées par les Indiens servaient aux déplacements ou à la PÊCHE sur les lacs et les rivières. Elles variaient de forme, de longueur, de technique de fabrication et de matériaux suivant les régions. Seules les embarcations des chasseurs de BALEINES étaient conçues pour la haute mer.

• Embarcation ronde constituée d'une armature de bois recouverte de peau de bison (Mandan).

• Pirogue creusée dans des troncs de CÈDRES, embarquant 6 à 12 hommes (Nootka, Makah, Haïda…).

• Canoë pour 2 à 4 hommes avec armature de bois recouverte d'écorce de bouleau (Algonquin).

• Canoë monoplace en JONC (Païute).

• Canoë fait de planches assemblées et enduites de goudron, pour 6 à 8 hommes (Chumash).

• Kayak monoplace constitué d'une charpente de bois (pin, sapin, saule…) recouverte de peau de PHOQUE ou de lion de mer (Inuit).

• Kayaks et umiaks étaient colmatés avec de la graisse de phoque.

Beavers

• Ainsi les nommaient les Anglais, en référence à leur vrai nom *Tsattine* : « Ceux qui habitent avec les castors. »

• Langue : athabascan.

• Occupaient le cours supérieur de la Peace River, aux confins ouest de la province actuelle de l'Alberta (Canada).

Bella Bellas

• Nom d'origine inconnue.

• Seconde division du groupe Wakashan avec les Kwakiutls.

• Établis sur la côte de la Colombie-Britannique, à hauteur des îles de la Reine-Charlotte.

• En contact avec les Européens, dès 1775, ils furent visités ensuite par les explorateurs et commerçants anglais et américains.

• 2 700 en 1780, 850 en 1906.

Bella Coolas

• Déformation de leur nom *Bilxula*.

• Langue : salishan.

• Bassin de l'actuelle rivière Bella Colla en Colombie-Britannique, au nord de Vancouver.

• Leur économie était centrée sur la PÊCHE au saumon.

Masques du Soleil (Bella Coolas)

• Visités entre 1793 et 1894 par des explorateurs européens, des missionnaires méthodistes, des chercheurs d'or, des trappeurs de l'Hudson Bay, des colons norvégiens, des bûcherons américains…
Ce peuple fut décimé par les maladies et l'alcoolisme.
• Les rares descendants sont dans une réserve en Colombie-Britannique.

Beothuks

• « Homme » dans leur langue.
• Langue aujourd'hui disparue.
• Établis dans l'île de Terre-Neuve.
• Les Beothuks auraient été en contact avec les VIKINGS vers l'an 1000, avec l'expédition de John Cabot en 1497 puis avec les explorateurs et pêcheurs européens, français en particulier. Bloqués progressivement dans le nord de l'île, les Beothuks disparurent dans le courant du XIXᵉ siècle.
• Population estimée à 500 individus en 1600.

Berdache

Terme d'origine française (ayant sans doute un caractère péjoratif) désignant le *Hee-Ha-Neh*, c'est-à-dire un jeune garçon qui, à l'âge de la puberté, préférait opter pour le monde féminin et abandonner sa condition d'homme. Il ne serait ni chasseur ni guerrier mais, habillé d'une robe, se livrerait aux activités habituellement dévolues aux FEMMES. Loin d'être méprisé, le berdache était au contraire écouté et respecté, son attitude ayant un caractère mystérieux et exceptionnel.

Big Foot
(vers 1850-1890)

Chef sioux qui, à la tête de 350 Hunkpapas, fut encerclé par l'armée américaine au lieu-dit WOUNDED KNEE, alors qu'il cherchait à gagner la réserve de Pine Ridge. Il y meurt, avec ses compagnons, le 29 décembre 1890, tous abattus à la mitrailleuse par les soldats. Ajouté à l'assassinat de Sitting Bull, ce massacre mit fin à la résistance indienne dans les Plaines.

Bison

L'aire du bison comprenait, au nord, les parties méridionales des actuelles provinces canadiennes de l'Alberta, du Saskatchewan et du Manitoba, toute la Grande Plaine du centre des États-Unis et, au sud, une large partie du Texas, soit une étendue égale à huit fois la surface de la France. Toujours à la recherche de nouveaux pâturages, l'immense troupeau des bisons (60 millions de têtes au début du XIXe siècle) poursuivait, d'année en année, une migration ininterrompue dans ce vaste espace. Au printemps, le grand troupeau remontait vers le nord-ouest, à l'automne, il redescendait vers le sud-est ; à certains moments, comme poussés par une frayeur soudaine, les animaux fuyaient droit devant eux et c'est un véritable fleuve de centaines de milliers d'animaux qui défilait pendant des jours et des jours.

Les mâles pesaient plus d'une tonne ; les femelles de 650 à 800 kilos.

Dans leur migration, les troupeaux sont accompagnés par des meutes de LOUPS ou de COYOTES, prédateurs toujours prêts à éliminer les bêtes malades ou vieillies. Pour les Indiens, la CHASSE aux bisons était « ouverte » toute l'année, mais avec deux périodes de pointe : au printemps, pour suppléer à l'épuisement des réserves et se procurer de la viande fraîche, à la fin de l'été pour achever de reconstituer le stock de nourriture à l'approche de la mauvaise saison.

Hors la chair du bison, consommée fraîche, séchée ou réduite en poudre (PEMMICAN), les Indiens tiraient parti de toute la carcasse de l'animal.

• La peau : fabrication des BOUCLIERS pour les parties les plus épaisses (garrot), confection de vêtements, de MOCASSINS ou de couvertures pour les cuirs les plus fins. Les autres morceaux, assemblés, serviront pour les tipis.

• Les os : suivant forme et taille, ils deviendront après avoir été travaillés des pelles (omoplates), des manches de TOMAWAK ou des arceaux de canoë (côtes), des récipients (crânes) et divers outils (grattoirs, alènes…).

Les plus gros sont cassés et la moelle qu'ils contiennent est recueillie pour la préparation du pemmican, les petits éclats seront utilisés comme pointes de flèches.

• Les cornes : ornent les coiffures des shamans ou celles des guerriers les plus valeureux. Elles servent aussi comme réserves à herbes… ou à poudre quand les Indiens utiliseront les armes à feu.

Aucune partie de l'animal ne sera oubliée, chacune répondant à un besoin : les dents (petits outils), la cervelle (assouplissement des peaux), les sabots (bouillis, ils entreront dans la composition d'une colle pour durcir les boucliers), la vessie (récipient à pemmican), les intestins (cordes des arcs), la queue (chasse-mouches)… même la bouse des bisons sera utilisée comme combustible.

Bitterroot

Le bitterroot *(Lewisia rediciwia)* est une petite plante à fleurs mauves ou blanches qui se plaît dans les terres à conifères. Ses racines sont comestibles, et les Indiens des régions arides du Sud-Ouest l'appréciaient comme complément alimentaire.

Black Hawk
(1767-1838)

Ce chef SAUK, dont le nom signifie « Faucon noir », se battit aux côtés des Anglais lors de la guerre d'Indépendance. Le traité de 1804 l'obligea à céder tout le territoire des Sauks à l'est du Mississippi. Ayant dénoncé l'accord, Black Hawk mena son peuple dans un combat désespéré. Après une longue résistance, il finit par admettre sa défaite.

Black Hills

En français « Collines noires ». Région située sur la frontière actuelle de deux États (ouest du Dakota du Sud et nord-est du Wyoming). C'était « les montagnes sacrées » des Sioux, la demeure inviolée du Grand Esprit, le véritable centre de l'univers. En 1874, une expédition militaire y découvre de l'or, entraînant la ruée des prospecteurs, alors qu'un traité de 1868 interdisait clairement toute intrusion dans le territoire des Sioux. C'est l'amorce d'une opération militaire qui aboutira, en 1876, à la bataille de Little Big Horn.

Blackfeet

• Nom issu de la couleur de leurs mocassins teints en noir (Blackfoot signifie pied noir). Dans leur langue, *Siksika*.
• Langue : algonquian.
• Originaires du Saskatchewan, ils occupaient le nord du Montana et le sud de l'Alberta canadien, au long des montagnes Rocheuses.
• Étaient subdivisés en trois groupes du nord au sud : les Sissikas, les Kainahs (de *Ahkainah*, « Nombreux chefs ») appelés aussi *Blood Indians* (Indiens du Sang) en raison de leur peinture faciale, et les Piegans (de *Pikuni*, « Vêtus de mauvais vêtements »).
• Guerriers très agressifs, les Blackfeet constituaient un peuple dominateur organisé en de nombreuses « sociétés » religieuses ou guerrières (telle la société *Ikunuhkahtsi*, « tous camarades »).

Divisés en petites bandes nomades pour chasser, ils se réunissaient à la fin de l'été. Les Atsinas étaient sous leur protection.
• En lutte permanente avec les Kootenais, Flatheads et leurs voisins Sioux (Crows, Assiniboins), ils furent aussi de rudes adversaires des trappeurs. Leur domination déclina à partir de l'épidémie de variole qui les toucha en 1836.
• Population estimée à 15 000 en 1780 ; 32 000 environ de nos jours (pour moitié dans les réserves).

Deux Mandans
par Karl Bodmer, 1834.

Bodmer
Karl (1809-1843)

Il étudiait la peinture à Zurich, sa ville natale, quand, à 24 ans, il est choisi par le prince Maximilien de Wied-Neuwied, naturaliste allemand, pour l'accompagner dans un voyage aux États-Unis. Arrivés à Boston le 4 juillet 1832, ils rejoignent St Louis puis le haut Missouri à travers le Nebraska, le Dakota, le Wyoming et le Montana. Ils visitent nombre de forts et de villages, et notamment les villages MANDANS au voisinage de Fort Clark, où ils passent l'hiver 1833-1834. Atteint de scorbut, Karl Bodmer continue à peindre et à dessiner. De retour en Europe, Bodmer se rapproche des artistes de Barbizon. Ses 81 tableaux constituent un témoignage de première importance sur la vie et les mœurs des Indiens sioux.

Boone
Daniel (1734-1820)

Aventurier américain, il explore en 1769 le territoire de l'actuel Kentucky avec cinq compagnons. Il y fonde un comptoir : Boonesborough. Dépossédé par le gouvernement, il s'installe sur les bords du Missouri. Boone a inspiré à Fenimore COOPER les personnages de Bas de Cuir, Longue Carabine et Œil de Faucon.

Boucliers

Pour se protéger dans les combats, le guerrier indien possède un bouclier : en bois ou, chez les Indiens des plaines, en cuir de BISON, prélevé dans le garrot, là où la peau est la plus épaisse. Les boucliers qui comportaient parfois deux épaisseurs de cuir s'avéraient d'une résistance telle que les balles en plomb ne pouvaient les traverser.

La plupart des modèles étaient décorés de peintures et ornés de plumes et de scalps.

Bozeman Trail

Piste traversant les vallées des rivières Powder, Tongue et Big Horn, soit les meilleurs territoires de chasse des Sioux. Elle reliait FORT LARAMIE (Wyoming) aux mines aurifères de Virginia City au Montana et s'avéra essentielle pour assurer le ravitaillement des mineurs et des colons. Elle avait été tracée par John Bozeman, tué début 1866. Pour sécuriser cette voie, le commandement américain décide la construction de trois forts (Fort Reno, Fort Kearny et Fort Smith) dont l'achèvement ne pourra être mené à bien sous les attaques incessantes des Sioux de RED CLOUD, renforcés par des Cheyennes et des Arapahos. Au terme de cette période de combat de 1866 à 1868 sera signé le traité de Fort Rice, concédant aux Sioux la jouissance à perpétuité du pays au nord de la Platte River.

Braddock
Edward (1695-1755)

Commandant en chef des forces anglaises en 1755, le général Braddock n'avait aucune expérience des guerres indiennes. Il est vaincu et tué à la bataille de la MONONGAHELA face à une coalition américaine, française et indienne.

47

Brant
Joseph (1742-1807)

Grand chef des MOHAWKS,
Thayenoanegea devient Joseph Brant
par le remariage de sa mère avec un
Anglais. Converti au christianisme,
il traduit la Bible en langue mohawk
et participe à la guerre dès l'âge de
treize ans. Colonel de l'armée anglaise,
il lutte pour l'union
des tribus dans
l'espoir de conserver
légalement une
partie des terres
de ses ancêtres.
Animateur de la
Ligue iroquoise,
il tente aussi
d'interrompre les
combats opposant
les Indiens entre eux.
Il se laissera mourir
de chagrin après
avoir tué son fils
accidentellement.

Bry
Théodore de (1528-1598)

Né à Liège, Théodore
de Bry est l'auteur
d'une importante série
de gravures illustrant la
découverte de l'Amérique
et de ses peuples, d'après
les récits des premiers
voyageurs. Son œuvre fut
poursuivie par ses fils,
Jean-Théodore et Jean-Israël.

Buffalo Bill

voir Cody, William

Buffalo Dance

Danse que les Indiens exécutaient
avant une chasse afin de se concilier
les faveurs de « l'Esprit du BISON ».
La survie de toutes les tribus des
Plaines passait par des chasses
fructueuses.

C

Caddos

• Les Caddos étaient une confédération de tribus réparties entre les territoires actuels de trois États limitrophes :
- au Texas, les Kadohadachos (« les Vrais Chefs »). Caddo est une abréviation de ce nom.
- en Arkansas, les Hasinaïs (« notre culture »), les Anadarkos et les Eyeichs.
- en Louisiane, les Natchitoches et les Adaïs.
• Langue : caddoan.
• Agriculteurs sédentaires pratiquant aussi la chasse aux BISONS.
• Les Caddos s'opposèrent en 1541 à de Soto, qui reconnut leur bravoure, puis, en 1687, rencontrèrent les survivants de l'expédition de CAVELIER DE LA SALLE. Le Moyne d'Iberville les gagna à l'influence française au début du XVIIIe siècle. Les Caddos s'opposèrent ensuite aux Choctaws puis en furent les alliés contre les Osages (fin XVIIIe siècle). En 1835, ils abandonnèrent leurs terres au gouvernement US et s'établirent au Texas. Durant la guerre de Sécession, restés fidèles à l'Union, les Caddos furent déplacés au Kansas. Ils furent enfin réinstallés dans une RÉSERVE de l'Oklahoma avec les Wichitas (1902).
• Environ 2 000 au XVIIIe siècle, 967 en 1937.

Caddoan

voir Langues p.20

Caille californienne

Petit oiseau grégaire répandu dans tous les États de la côte Pacifique, de l'île de Vancouver à la Basse-Californie, la caille californienne *(Callipepla californica)* se distingue par la petite aigrette noire qui orne sa tête. Son plumage est gris-bleu.

49

Cahokia

À proximité de la ville actuelle de Saint Louis (Illinois) se trouve le site de Cahokia, témoin de la civilisation des Mound Builders. Le principal tumulus, haut de 30 m, occupe une base de 305 par 220 m. L'édification aurait eu lieu vers l'an 800 de notre ère. La tribu vivant à proximité du site portait le nom de Cahokias (*voir* Illinois).

Calcul

Les Indiens disposaient d'un système simple pour évaluer des quantités ; peut-être même se livraient-ils à des additions ou à des soustractions. Mais rien ne prouve qu'ils étaient en mesure de multiplier ou de diviser, et il est probable que ces opérations étaient hors du champ de leurs préoccupations. Méthode de comptage la plus simple :
- De 1 à 10, les Indiens se servent de leurs doigts dressés.
- De 10 à 90, il leur suffit de poser l'index de la main droite sur chaque doigt de la main gauche en partant du pouce (de 10 à 50) et de recommencer (de 60 à 90).
- 100 s'indique en présentant, face à l'interlocuteur, les deux mains ouvertes reliées par le pouce, à la hauteur de l'épaule droite.
Pour évaluer leur richesse en peaux de bisons ou en chevaux, les Indiens utilisaient, selon les régions, des variantes de ce système décimal, et peut-être connaissaient-ils des méthodes proches du Chisanbop d'origine coréenne pour apprendre à compter aux enfants.

Calumet

Ce mot vient du français « chalumeau » donné à l'objet par les missionnaires français. Le calumet, chez les Indiens, a un rôle particulier lié aux propriétés supposées du TABAC, dont ils croyaient qu'il augmentait l'intelligence et la clairvoyance. Le calumet était solennellement fumé lors des cérémonies célébrant l'arrivée de voyageurs importants, pour appeler la pluie, pour décider une déclaration de guerre... ou le retour de la paix. Inhalant la fumée puis la rejetant vers le ciel, les Indiens pensaient communiquer ainsi avec les ESPRITS. En circulant de main en main, la pipe resserrait les liens entre les participants.

Calusas

• D'après Hernando
Fontaneda, qui fut leur prisonnier
pendant plusieurs années, leur nom
signifiait « Peuple farouche », à moins
qu'il ne s'agisse d'une corruption
de Carlos (Charles Quint).
• Langue : muskogean.
• Installés au sud de la Floride.
• Des fouilles archéologiques semblent
indiquer que leurs ancêtres peuplaient
la région environ 1 400 ans av. J.-C.
Habiles sculpteurs du bois, les Calusas
étaient cultivateurs et pêcheurs.
Par voie de mer, ils commerçaient
avec Cuba et, peut-être, le Yucatan.
Ils pratiquaient des sacrifices humains.
• Leur flotte de 80 canots chassa PONCE
DE LEÓN en 1513. Malgré tout, les
Espagnols s'implantèrent en Floride
à la fin du siècle.
• Population estimée à 3 000 en 1650.
Un siècle plus tard, quelques survivants
se joignent aux SEMINOLES, d'autres
fuient vers Cuba.

Camas

(Camassia quamash).
Variété de liliacée à belles
fleurs bleu-violet, commune
dans les régions du Plateau
et du Grand Bassin.
Son bulbe est comestible.

Canada

De *Kanada* signifiant village
en langue iroquoiane. Avant de
désigner l'ensemble du pays, du temps
de Jacques CARTIER, le nom Canada
ne s'appliquait qu'à la région autour
de Québec, peuplée par des tribus
de langue algonquiane.

Canard

Gibier abondant à travers différentes
espèces, les canards étaient présents
sur toute l'étendue du continent
nord-américain.
S'y retrouvent
des espèces proches
de celles connues
en Europe
(col-vert,
chipeau,
pilet,
souchet...).

51

Cariacou

Caribou

Cariacou

Nom donné par Buffon pour désigner le cerf de Virginie *(Odocoïleus virginiamus)* ou *white-tailed deer*. En cas de danger, il dresse sa queue et découvre une touffe de poils blancs qui fait office de signal pour ses congénères. Proche de l'extinction au début du siècle, maintenant sauvée, l'espèce est répandue sur tout le territoire des USA (à l'exception de la Californie, du Nevada, de l'Utah…).

Caribou

Version américaine du cerf européen ou asiatique, le caribou *(Rangifer taraudus)* est un animal grégaire qui se déplace parfois en immenses troupeaux de plusieurs milliers de têtes. En hiver, les lichens constituent l'essentiel de sa nourriture ; à la belle saison, il mange aussi herbes, joncs, champignons, brindilles de bouleau et de saule. Les Indiens du Grand Nord utilisent leur peau, légère et très résistante, pour confectionner anoraks, bonnets, bottes et mitaines.

Carriers

• De l'anglais *to carry* : porter. Pendant trois ans, les veuves de la tribu devaient porter avec elles, dans un panier, les cendres de leur époux défunt. Leur vrai nom était *Takulli* : « Peuple qui va sur l'eau. »
• Langue : athabascan.
• Installés sur le cours supérieur de la rivière Fraser (Colombie-Britannique).
• Les Carriers furent visités en 1793 par Alexander MACKENZIE, puis en 1805 par Simon Fraser ; ils connurent ensuite les missionnaires catholiques, les négociants, les mineurs, puis des colons en nombre croissant.
• Population estimée à 5 000 en 1780, et à 1 600 en 1909.

Carson
Christopher, dit Kit (1809-1868)

Officier américain émigré au Missouri, il est pendant de longues années trappeur et chasseur, et acquiert une connaissance approfondie des mœurs et langues indiennes. Surnommé le

« lanceur de lasso », célèbre aventurier, Carson sert comme éclaireur dans de nombreux épisodes de la conquête de l'Ouest.

Cartier
Jacques (1491-1557)

Navigateur et explorateur français, il aborde au CANADA en 1534 et prend possession de terres qu'il a découvertes au nom de son roi, François Iᵉʳ. Lors d'un second voyage, un an plus tard, Cartier explore le cours du Saint-Laurent et atteint des villages algonquins. Après avoir passé l'hiver près de l'actuelle ville de Québec, il ramène douze Indiens à Saint-Malo.

Castor

Abondant sur tout le continent nord-américain, le castor (*Castor canadensis*) peuplait les marais et les rives des lacs et cours d'eau. Saules, bouleaux, trembles, érables lui fournissaient nourriture et matériaux de construction. Sa fourrure fut l'objet d'un important commerce avec les Européens dès le début du XVIIᵉ siècle.

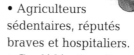

Catawbas

• Étymologies possibles : du choctow *katapa*, « divisé, séparé », ou du yuchi *kotaba*, « hommes robustes ». Également connus sous le nom de *issa* ou *essa* : « rivière ».
• Langue : siouan.
• Établis dans la vallée de la rivière Wateree (ou Catawba), dans les deux Carolines.

• Agriculteurs sédentaires, réputés braves et hospitaliers.
• Confédération d'une quinzaine de tribus. Ennemis des Cherokees, les Catawbas furent fidèles aux Anglais (sauf en 1715, lors de la révolte des YAMASSEES) puis aux Américains.
• Durement frappés par les guerres et la VARIOLE, ils n'étaient plus que quelques centaines en 1775. Certains se fondirent et se métissèrent parmi les Cherokees en exil. Le dernier sang-pur serait mort en 1962.

Catlin
George (1796-1872)

Né en Pennsylvanie, George Catlin boucle ses études de droit… mais décide de se consacrer à la peinture. Impressionné par la majesté d'une délégation d'Indiens en route pour Washington, il entreprend un voyage, de 1830 à 1836, de la vallée du MISSOURI aux régions du Sud-Ouest, et réalise ainsi 470 portraits dans différentes tribus. Dès 1837, il expose ses œuvres lors de ses voyages aux États-Unis et en Europe (Hollande, Angleterre, France).

Catlinite

Variété d'argile rouge extraite de carrières du Minnesota, dont les Indiens se servaient pour fabriquer les foyers de leurs pipes et calumets. C'est le peintre George CATLIN qui identifia la provenance de cette matière première.

Cattail

Le cattail (Typha latifolia) peut atteindre 2,50 m de haut et croît dans les terrains montagneux. Les jeunes pousses étaient consommées en salade ou bouillies, et les racines réduites en farine par les Indiens du Grand Bassin.

White Cloud, chef Iowa
par George Catlin, 1844.

Cavelier de La Salle
Robert (1640-1687)

Explorateur français. À partir de Montréal, il entreprend une reconnaissance des lacs Ontario, Érié, Huron et Michigan. Puis il atteint le cours supérieur du MISSISSIPPI qu'il descend jusqu'à l'embouchure. Il prend alors possession de ces immenses territoires, couvrant trente États des USA actuels, et leur donne le nom de Louisiane en hommage au roi de France Louis XIV. Au cours d'une seconde expédition, Cavelier de La Salle échoue sur la côte du Texas, construit plusieurs forts, fonde Fort St Louis et est tué par les Karankawas.

Cayugas
voir Iroquois

Cayuses

• Signification inconnue.
Leur propre nom était Wailetpu.
• Langue : wailatpuan, branche du shahaptian.
• Occupaient l'est de l'Oregon.
• Essentiellement chasseurs de BISONS.
• Luttèrent farouchement de 1847 à 1849 (guerre des Cayuses), puis de 1853 jusqu'à la bataille de Grande Ronde (1856).

• Installés dans une RÉSERVE avec les Umatillas dans l'Oregon. 500 en 1780, 370 en 1937.

Cèdre

Les espèces américaines de la famille des *cedars* (Alaska yellow cedar, Incense cedar, Western red cedar...) sont des conifères de grande taille, localisés sur la côte Pacifique (de l'Alaska au nord de la Californie). Leur bois odorant, facile à travailler, constituait la matière première idéale pour les habitations et les pirogues des Indiens de la côte Pacifique nord.

Chaman

voir Homme-médecine

Champlain
Samuel de (1567-1635)

Colonisateur français. Il persuade Henri IV d'établir une colonie au Canada, fonde Québec, explore la région des lacs Huron et Ontario (1608), noue des relations avec les Algonkins et les Hurons, participe à leur lutte contre les Iroquois. Il défend QUÉBEC contre les Anglais mais doit capituler en 1629. Revenu au Canada comme gouverneur après le traité de St-Germain en-Laye (1632), il poursuit son œuvre de colonisation.

Chasse

Les Indiens firent, tout au long de leur histoire, la démonstration qu'ils savaient chasser avec raison, ne tuant que le nombre d'animaux nécessaire et suffisant à leurs besoins. Écologistes avant l'heure, ils considéraient les animaux avec tout le respect qu'il convient d'accorder à des êtres respirant le même air, se désaltérant de la même eau et partageant les mêmes espaces de prairies et de forêts. Ils admiraient leurs différentes aptitudes, leur force ou leur courage, et les opérations de chasse étaient précédées de rituels, autant pour en assurer le succès que pour honorer les futures victimes... Les proies étaient nombreuses et variées : le BISON, les divers cervidés (CARIBOUS, WAPITIS, cerfs, daims...), L'OURS, le lapin et toutes sortes d'oiseaux (CANARDS, oies, etc.) D'autres proies étaient recherchées mais pour d'autres raisons que leur chair : l'AIGLE pour ses plumes, le PORC-ÉPIC pour ses piquants, le loup, le castor, la loutre, l'hermine, le chien de prairie pour leur fourrure... Dès leur adolescence, les jeunes participaient avec leurs aînés aux expéditions de chasse. Avant l'arrivée des Européens, les Indiens ne disposaient que d'armes primitives. De grands troupeaux de « longues cornes », espèce disparue proche du bison, étaient chassés suivant une technique simple et efficace : agitant armes et torches enflammées, les hommes effrayaient un troupeau et le dirigeaient vers un fossé naturel ou un bord de falaise. Les animaux chutaient et étaient achevés par d'autres chasseurs. Un site daté de 8500 av. J.-C., découvert près de Kit Carson (Colorado), témoigne de cette méthode.

Quand les animaux étaient en petits groupes, les Indiens se dissimulaient sous des peaux de bisons ; ils pouvaient ainsi progresser à proximité de leur proie et décocher leurs flèches à bout portant. Ils pouvaient aussi se cacher sous des peaux de loups : les bisons étaient habitués au voisinage de ce prédateur, mais il convenait pour le chasseur de ne pas provoquer la charge d'un mâle avant de décocher sa flèche. Les chasseurs du Sud-Est utilisaient une technique identique pour chasser les cervidés.

En hiver, de petits groupes de chasseurs Chippewas parvenaient à surprendre bisons, caribous ou orignaux à demi immobilisés dans la neige profonde. L'approche était rendue possible par l'utilisation de raquettes. La chasse au rabat était pratiquée par les Hurons de l'actuel Ontario pour piéger les cervidés. Des chasseurs déployés en demi-cercle poussaient le gibier vers des enclos où il était abattu. Les Paiutes

du Nevada utilisaient une technique identique pour chasser les lapins. C'est avec des SARBACANES capables d'atteindre une cible à vingt mètres que les Cherokees chassaient le petit gibier. Au nord, les Inuits chassaient le PHOQUE en repérant dans la banquise les trous où l'animal vient respirer. Avec l'arrivée des Européens, les Indiens firent deux acquisitions qui bouleversèrent leurs techniques de chasse : les ARMES À FEU et le CHEVAL. La chasse au bison en particulier se modifia ; sur leur monture, les Dakotas, Kiowas, Cheyennes, Pawnees n'eurent plus à ruser pour approcher les troupeaux. Galopant à côté des bisons, ils décochaient leurs flèches avec précision… Avec un fusil, ils gagnèrent encore en efficacité ! Hélas, ils n'étaient plus seuls à chasser et, en quelques dizaines d'années, au XIXe siècle, l'immense troupeau de bisons qui peuplait la Grande Plaine fut exterminé !

Chef Joseph
(1840-1904)

In-mut-ton-yah-la-kit « le tonnerre qui vient par-dessus les montagnes ». Chef de la tribu des NEZ-PERCÉS, orateur intelligent et sage, il est obligé de se battre pour défendre la *Wallowa-Valley*. Remarquable stratège, il conduit sur 1 600 km, la retraite de son peuple vers le Canada en déjouant toutes les attaques de ses adversaires.

Contraint à la reddition à 100 km de son but, Chef Joseph sera déporté avec ses fidèles à la RÉSERVE de Colville (État de Washington) où il meurt loin de sa vallée. La noblesse de son comportement imposa le respect à tous ses adversaires.

Cherokees

• Étymologie incertaine. Soit altération de *Tsalagi*, « Peuple des grottes », mot dont ils usaient pour se désigner, soit issu du creek *Tsiloki*, « Peuple d'une autre langue ».
• Langue : iroquoian.
• Établis à l'extrémité sud de la chaîne des Appalaches (Tennessee, Caroline du Nord).
• Cultivateurs et chasseurs, les Cherokees étaient organisés en sept clans aux structures complexes. Leur soixantaine de villages étaient groupés autour de la « capitale » : Echota.
• Rencontrés par de Soto en 1540, ils furent impliqués dans toutes les luttes qui ensanglantèrent la région. Refoulés vers l'ouest par les colons, ils participèrent à la révolte de LITTLE TURTLE et à la victoire indienne de la Wabash (1781). Tentèrent de s'organiser en nation sur le modèle blanc. Une constitution fut adoptée, un alphabet fut inventé, un hebdomadaire,

le *Cherokee Phoenix*, fut publié. Mais la poussée des colons et la découverte de l'or sur leur territoire (1826) précipitèrent leur exil vers l'OKLAHOMA, que beaucoup payèrent de leur vie sur la PISTE DES LARMES *(Trail of tears)*. Les Cherokees participèrent divisés à la guerre de Sécession, certains optant pour le Nord, d'autres pour le Sud.
• Estimé à 25 000 en 1650, leur nombre approchait les 300 000 en 1990. Une grande majorité en Oklahoma, même si certains, de plus en plus nombreux, rejoignent les terres ancestrales (Tennessee, Caroline du Nord).

Cheval

C'est avec l'expédition de Cortés en 1519 que les chevaux foulèrent de leurs sabots le sol du Mexique... Après des millénaires d'absence, l'espèce revenait. En 1540, Francisco Vasquez de CORONADO s'aventure vers le nord à la tête d'une petite troupe. Il atteint l'actuel Kansas ; faute d'or et de richesses, il rencontre les Indiens Wichitas. Ceux-ci éprouvent une grande frayeur à la vue de ces animaux inconnus ; mais la peur fait rapidement place à la curiosité, et les Comanches, les premiers, en acquièrent en les échangeant aux Espagnols contre des esclaves. En 1680, de nombreux chevaux échappent aux Espagnols, se répandent aux confins du Nouveau-Mexique et du Texas où ils prolifèrent rapidement. Ils envahissent ensuite la Grande Plaine américaine où successivement toutes les tribus indiennes intègrent le cheval à leur mode de vie. Cette migration d'un siècle a transformé l'espèce : le cheval andalou (le genêt, appelé aussi barbe), issu des races arabe et numide, fin et fougueux, se trouve confronté aux rigueurs des hivers et aux attaques de prédateurs. Rançon de la liberté, la sélection naturelle s'opère en faveur des plus résistants ; l'espèce perd quelques centimètres au garrot et gagne un nouveau nom : MUSTANG (de l'espagnol *mestengos*, égaré). Suivant les estimations des contemporains, il y avait plus de 2 millions de chevaux en liberté, en 1800, dans la Grande Plaine.

Après avoir cru, en voyant les Espagnols, que l'homme et le cheval n'étaient, tel le centaure de notre mythologie, qu'un seul et même animal, les Indiens tirèrent très vite profit de cet allié « importé ». Dès 1700, certains Indiens utilisent le cheval pour la CHASSE au bison ; il remplace le chien pour tracter les TRAVOIS et facilite les migrations hivernales. Une complicité exemplaire s'établit entre l'homme et l'animal : l'Indien a choisi sa future monture dans les troupeaux qui paissent à proximité de son campement.

Il l'a capturé, l'a dressé, il lui parle, l'entoure d'attentions et souvent dort avec lui dans le même abri. Entre tous les cavaliers, les COMANCHES s'imposeront comme les meilleurs. Ceux que l'on surnomma les « Cosaques du Nouveau Monde » étaient simultanément, extraordinaires cavaliers et fins dresseurs. Certaines tribus se distinguaient par leur aptitude à l'élevage tels les Nez-Percés à qui l'on doit les célèbres APPALOOSAS à la robe tachetée.

Indispensable pour la chasse ou la guerre, le cheval est aussi un élément de richesse : certaines tribus comanches de 2 000 individus possédaient plus de 15 000 chevaux et des chefs pouvaient en avoir personnellement plus de 1 000. La moyenne était de 2 chevaux par guerrier chez les Assiniboins et s'élevait à 50 chez les Nez-Percés ! D'autres tribus, tels les Crows, n'hésitaient pas à prendre de gros risques pour accroître leur cheptel en volant des animaux à leurs voisins.

Cheyennes

• Du dakota *Sha Hi'yena*, « Peuple d'une langue étrangère ». Leur propre nom était *Dzitsi'stas*, « Notre peuple ». Par simplification phonétique, les Français les appelèrent les « Chiens ». Pour d'autres tribus indiennes, ils étaient « les Hommes balafrés » (Arapahos) ou « les Flèches rayées » (Shoshones, Comanches).
• Langue : algonquian.

• Venus du sud des Grands Lacs à la fin du XVIIᵉ siècle, ils s'installèrent dans le Dakota du Sud (région des BLACK HILLS).
• Nomades chasseurs de bisons et de daims, les Cheyennes étaient respectés pour leur haute taille, leur intelligence et leur indomptable courage.
• Ils furent durement frappés en 1849 par le choléra. Menèrent une guerre intense contre les Blancs de 1860 à 1878, marquée par le massacre de SAND CREEK (1864) où 300 femmes et enfants cheyennes furent tués. Défaits par Custer sur la Washita (1868). Alliés aux Sioux, Oglalas, Hunkpapas et Santees, les Cheyennes se vengèrent à LITTLE BIG HORN (25 juin 1876).
• Une réserve dans le Montana et une en Oklahoma avec les Arapahos. Population estimée à 3 000 en 1780. Pourraient être aujourd'hui 11 500.

Chickasaws

- Étymologie inconnue.
- Langue : muskogean.
- Installés au nord de l'actuel État du Mississippi.
- Guerriers très redoutés.

Les hommes chassaient, pêchaient et bâtissaient les demeures. Les femmes s'occupaient des plantations.

- Alliés fidèles des Anglais, les Chickasaws jouèrent dans le Sud le même rôle que les Iroquois dans le Nord. Ne tolérant aucune incursion sur leur territoire, ils luttèrent contre Shawnees (1715 et 1745), Iroquois (1732), Français (1736), Cherokees (1769) et Creeks (1795). Intégrant les « CINQ TRIBUS CIVILISÉES », ils migrèrent vers l'Oklahoma en 1822, où ils obtinrent un territoire distinct (1855).
- Environ 20 000 descendants à la fin du XXe siècle.

Chien

Les chiens, sans doute, trottinaient aux côtés des premiers chasseurs qui franchirent le détroit de Bering. Les premiers témoins Blancs relatent qu'ils étaient nombreux et bruyants dans les villages et les campements indiens. Suffisamment domestiqués pour accompagner les chasseurs ou pour jouer les gardiens, ils n'étaient pas toujours récompensés de leur fidélité car, pour leur malheur, leur chair était considérée comme un mets de choix et réservée aux hôtes à honorer. Les chiens étaient utilisés pour tirer les TRAVOIS ; ils transportaient chaque jour trente à quarante kilos de bagages sur six à dix kilomètres ; mais leur efficacité était limitée. À la différence des autres tribus, les CHIPEWYANS du Canada témoignaient d'un attachement particulier envers leurs chiens. Ils étaient persuadés que les hommes et les chiens avaient une origine commune. Leurs chiens étaient bien nourris, bien traités et quand survenaient les migrations d'hiver, ce n'étaient pas les chiens qui tiraient les traîneaux… mais les FEMMES.

Chilcotins

- Leur véritable nom *Tsilkotin* signifiait « Peuple de la rivière de l'homme jeune ».
- Langue : athabascan.
- Vallée de la rivière Chilcotin au Canada (Colombie-Britannique).
- Alexandre Mackenzie traverse leur territoire en 1793 et Fort Chilcotin est fondé en 1829. Peuplement continu de

la région par les employés de l'Hudson Bay Company, puis les mineurs et les colons.
• Population estimée à 2 500 en 1780, 450 en 1906.

Chinooks

• De *Tsinuk*, nom que leur donnaient leurs voisins Chehalis. Étaient également surnommés les « Têtes plates » parce qu'ils déformaient volontairement le crâne de leurs enfants pendant la croissance.
• Langue : chinookan. Ne doit pas être confondue avec le chinook, langue commerciale utilisée au XIXe siècle dans la région pour favoriser les échanges.

• Occupaient le nord de l'estuaire de la Columbia, près du site de la ville de Seattle.
• Pêcheurs, les Chinooks s'imposèrent aussi comme animateurs du commerce entre tribus, puis entre Indiens et Blancs.
• L'Anglais John Meares, à la recherche de fourrures, les rencontra en 1788, l'expédition LEWIS et CLARK les visita en 1805. Les Chinooks furent décimés par la VARIOLE en 1829. Leurs survivants ont été absorbés progressivement par d'autres tribus comme les Chehalis.

Chipewyans

• Contraction de l'algonquin-cree *chipwayanawok*, signifiant « Peaux en pointe », en référence aux tuniques des Athabascans.
• Langue : athabascan.
• Territoire compris entre le lac des Esclaves au nord-ouest, le lac Athabasca au sud-ouest et la baie d'Hudson à l'est.
• Chasseurs de CARIBOUS et pêcheurs. L'abbé Petitot leur attribua les mêmes qualités que leurs voisins : « innocents et naturels dans leur vie et leurs manières, du bon sens et le goût de la justice ».
• Adversaires ancestraux des Crees algonquins, les Chipewyans durent céder devant ceux-ci lors de l'arrivée des Blancs (1717) et l'extension du commerce des fourrures. Ils furent repoussés vers le nord et l'ouest, jusqu'à l'épidémie de VARIOLE (1779) qui frappa durement les deux peuples.

• 3 500 au début du XVIIIe siècle, 4 643 de leurs descendants furent recensés en 1970.

Chippewas
voir Ojibwa

Chiricahuas

voir Apaches

Chitimachas

• Étymologie incertaine… peut-être du choctaw « Ils ont des pots » ou « Ils cuisinent dans des pots ».
• Langue : chitimachan, petit groupe linguistique commun avec les Washas.
• Territoire aux abords du delta du Mississippi (actuelle Louisiane).
• Cultivateurs (maïs, haricots, courges…), chasseurs et pêcheurs, les femmes étaient expertes en VANNERIE.
• Après avoir fait alliance avec Iberville en 1699, les Chitimachas entrèrent en guerre avec les Français et furent réduits en esclavage après 1718. Métissage avec les Acadiens.
• 3 000 en 1650, une centaine en 1910.

Chiweres

• Terme issu de l'oto. Ils s'appelaient eux-mêmes *che-wae-rae* : « Ceux qui appartiennent à cette terre. »
• Désigne un groupe de tribus de langue siouan : Oto, Iowa, et Missouri lié aux Winnebagos.

Choctaws

• Étymologie incertaine.
Peut-être corruption de l'espagnol *chato*, signifiant « plat », « aplatir » (le crâne des enfants car, pensaient-ils, cette coutume donnait une vue perçante). Pour cette raison, les

Français les appelaient « Têtes plates ».
• Langue : muskogean.
• Installés au sud de l'Alabama.
• Moins belliqueux que leurs voisins et ennemis Chickasaws, les Choctaws se consacraient à l'AGRICULTURE (maïs, patates douces, tournesol). Également chasseurs à l'ARC et à la SARBACANE.
• Après le passage de l'expédition de Soto, ils restèrent 150 ans sans contact avec les Européens. Alliés des Français, ils durent, après la défaite de ceux-ci, migrer à l'ouest du Mississippi (1780). Membres des « CINQ TRIBUS CIVILISÉES » en 1830, ils cédèrent leurs terres au gouvernement américain et partirent vers l'OKLAHOMA.
• Environ 20 000 dans 115 villages au début du XVIIIe siècle. Le recensement de 1990 indique plus de 80 000 descendants (Oklahoma, Mississippi).

Chumashs

- Étymologie inconnue. Appelés aussi *Santa Barbara* et *Santa Rosa Indians*.
- Langue : hokan.
- Côte sud de la Californie et quelques îles du détroit de Santa Barbara.
- Essentiellement pêcheurs, les Chumashs travaillaient le bois et la pierre avec adresse ; les femmes s'adonnaient à la VANNERIE.
- Furent visités par le Portugais Cabrillo en 1542. À partir de 1771, cinq MISSIONS de Franciscains s'installèrent sur leur territoire. Ces nouvelles conditions de vie aboutirent à la révolte de 1824.

- Estimé à 2 000 vers 1770, leur nombre est réduit à quelques dizaines d'individus de nos jours.

Cinq tribus civilisées

Appellation ironique désignant les tribus Choctaw, Chickasaw, Séminole, Creek et Cherokee. Au début du XIXᵉ siècle, ces peuples avaient tenté de s'intégrer à la jeune nation américaine. Ils se christianisèrent, envoyèrent leurs enfants à l'école et apprirent l'AGRICULTURE. Ils entendaient, en contrepartie, rester sur leurs terres. Mais ces Indiens faisaient obstacle à l'extension des cultures, en particulier celle du coton... Malgré leur résistance, ils furent déportés en Oklahoma dès 1830.

Clan

voir Tribu

Clark
William (1770-1838)

Après la cession de la Louisiane, cet officier entreprit avec Meriwether LEWIS une exploration de nouveaux territoires afin de les ouvrir à la colonisation. Ils dépassèrent la région du Missouri et, par les montagnes Rocheuses, atteignirent la Columbia qu'ils descendirent jusqu'à son embouchure (14 mai 1804 – 23 septembre 1806).

Cochise
(vers 1812-1874)

Chef apache des Chiricahuas. Fort et bien bâti, il était aussi loyal et homme d'honneur. Confronté à la fourberie des

envahisseurs blancs, il livra toute sa vie un combat sans merci, organisant des raids contre les ranches isolés, les mines, les diligences... Après la guerre de Sécession, Cochise refusa de conduire son peuple dans une réserve au Nouveau-Mexique, prit le maquis et unifia la nation apache avec GERONIMO. Capturé, il s'évada et finit ses jours en Arizona.

Cochise People

Des vestiges de la présence de ce peuple ont été trouvés près de Cochise en Arizona. Datés de 10 000 ans av. J.-C., ces vestiges témoignent de la culture primitive de ce peuple obligé de s'adapter à un changement de climat (réchauffement après une glaciation) et passant de la cueillette à un début d'agriculture.

Cody
William (1846-1917)

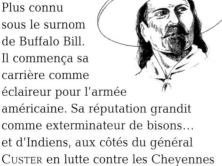

Plus connu sous le surnom de Buffalo Bill. Il commença sa carrière comme éclaireur pour l'armée américaine. Sa réputation grandit comme exterminateur de bisons... et d'Indiens, aux côtés du général CUSTER en lutte contre les Cheyennes et les Sioux (1870-76). Ses exploits sont popularisés par de nombreux romans et Buffalo Bill fait fortune en imaginant le *Wild West Show*, grand spectacle qu'il produit aux États-Unis et en Europe.

Cœur d'Alène

voir Skitswish

Coiffes

Par leur magnificence, les coiffes indiennes restent emblématiques de la légende... Elles variaient suivant les tribus et étaient, pour les plus élaborées, l'apanage des personnages importants du fait de leur rang ou de leurs exploits : SACHEMS, chamans, guerriers.

Columbias

• Leur vrai nom : Sinkiuse.
• Langue : salishan.
• Territoire sur le cours supérieur de la rivière Columbia.
• Pêcheurs de saumon.
• Population estimée à 10 000 à la fin du XVIIIe siècle avant l'épidémie de variole. 52 en 1910.

Comanches

• Selon les sources, leur nom viendrait de l'espagnol *camino ancho*, « Grand chemin », ou du terme ute *Koh-maths*, « Ennemi ». Eux-mêmes s'appelaient *Ne-me-ne* ou *Nimenim* : « le Peuple ».
• Langue : shoshonean.
• Nomades chasseurs de BISONS, se livrant à l'occasion à l'agriculture.

Coiffes indiennes
1 - Blackfoot
2 - Cheyenne
3 - Mandan
4 - Ponca
5 - Sioux Oglala

Réputés pour leur incroyable talent de cavaliers, leur courage, leur impétuosité, leur sens de l'honneur et leur conviction d'être des hommes supérieurs.

• Originaires de l'est du Wyoming (où ils étaient liés aux Shoshones). Migrèrent insensiblement vers le sud. Pendant le XVIIIe siècle, les Comanches combattirent Espagnols et Apaches avant de s'en prendre aux Américains. Forts de leur alliance avec les Kiowas, ils multiplièrent pillages et meurtres au début du XIXe siècle. Après plusieurs accords non respectés, les Comanches acceptèrent (traités de 1865 et 1867) le retrait dans une réserve en Oklahoma… mais ils continuèrent leurs raids jusqu'à leur défaite finale en 1874-1875.

• Population estimée à 7 000 individus en 1700 ; 11 600 en 1990.

Commerce

Dans le cadre de relations pacifiques, l'usage du « cadeau » était courant chez les Indiens, mais l'idée de commercer ne pouvaient s'imposer que pour acquérir des produits inconnus, donc tentants par définition. Dans la Grande Plaine, au printemps, des rencontres s'organisaient entre tribus, permettant des échanges fructueux : produits agricoles contre fourrures, tabac contre coquillages, plaques de cuivre ou tout autre produit venu d'horizons lointains par échanges successifs. Ainsi tel

Comanches

Cheyenne ou Arapaho pouvait disposer d'un ARC en os dont il ignorait l'origine. L'arc en question avait été acquis par échange avec un Blackfoot, lequel l'avait échangé contre une peau de bison à un Chinook qui se l'était procuré auprès d'un Salish de la côte Pacifique... car il s'agissait d'un fanon de baleine.

Traditionnellement, les SALISHS du littoral commerçaient avec leurs frères par la langue, vivant à l'intérieur des terres. Mais les plus actifs des intermédiaires étaient les CHINOOKS, réseau de petites tribus autonomes réparties sur le cours inférieur de la Columbia. Trait d'union entre deux régions différentes, les Chinooks s'adonnaient à deux activités : la pêche au saumon et le commerce. C'est sous leur contrôle que s'échangeaient fourrures, poissons séchés, huile de poisson, coquillages, vannerie... et esclaves.

C'est à proximité du confluent des rivières Columbia et Deschutes que se situaient les points de rendez-vous. Les négociations se conduisaient dans une langue composite, mélange de salish, de chinook et de nootka. Communément appelé le « chinook », ce jargon intégra des mots français et anglais dès que les Blancs furent partie prenante dans ce commerce au début du XIXe siècle...

Plus à l'est, les Ojibwas troquaient leur surplus de riz sauvage ou de maïs contre les fourrures des Crees et des Chipewyans. Ces mêmes Ojibwas et les Ottawas, aux limites de la Grande Plaine, s'investissaient dans des échanges nord-sud pour des produits agricoles, des poteries et surtout le tabac, utilisé mais non produit au nord. L'arrivée des Blancs intensifia le commerce des fourrures. Les Iroquois et les Algonquins se disputèrent la suprématie des peaux de castors, au risque de compromettre l'espèce, avant que l'attrait pour les peaux de bisons n'entraîne à son tour l'élimination du vaste troupeau qui vivait dans la Grande Plaine... mais les échanges eurent d'autres conséquences quand les Blancs proposèrent comme monnaie d'échange des fusils, de la poudre et de l'alcool !

Cooper
James Fenimore (1789-1851)

Écrivain américain, né à Burlington (New Jersey), connu pour ses romans d'aventures dont le plus célèbre, *Le Dernier des Mohicans*, reste un classique du genre. Il avait une réelle connaissance des mœurs indiennes, ce qui donne vraisemblance et cohérence à ses récits.

Corbeau

Oiseaux omnivores et toujours proches de la présence humaine, les corbeaux sont présents dans la totalité du continent nord-américain à l'exclusion de la zone arctique. C'est peut-être pour cette raison que les Indiens considèrent ces animaux comme

69

des alliés, car les corbeaux (comme les COYOTES) les avertissent de la venue d'un danger ou d'un intrus. Pour les Indiens de la côte Nord-Pacifique, le corbeau jouait un rôle de premier plan dans leur mythologie : c'est « le héros de la transformation, il est responsable de l'ordre naturel au sein de l'univers, c'est lui qui apporte la lumière » (Martine J. Reid). Le mythe du corbeau est représenté sur les mâts totémiques, emblématiques de la culture de ces peuples.

Cornplanter
(1735-vers 1840)

*Ki-on-twog-k*y « le Planteur de maïs ». Chef seneca, métis de mère indienne et de père irlandais. Aux côtés des Français contre les Anglais à la bataille de la Monongahela, il se rangera ensuite avec les Anglais contre les Américains. Il meurt centenaire.

Coronado
Francisco Vasquez de
(1510-1554)

Conquistador espagnol. En 1540, mandaté par Antonio de Mendoza, vice-roi du Mexique, il part vers le nord à la tête d'une puissante expédition. Il doit trouver Cibola, la mythique « cité pavée d'or » dont on dit qu'elle se situe au-delà du rio Grande. Coronado jalonne

son périple d'atrocités et de massacres, monte jusque dans l'actuel Kansas à la recherche d'un autre mythe Quivira et revient au bout de deux ans. Il n'a pas trouvé d'or, mais il a beaucoup de sang sur les mains.

Costanoans
• De l'espagnol Costanos « Peuple de la côte ».
• Langue : penutian
• Localisation entre l'actuelle baie de San Francisco et celle de Monterey, 200 km plus au sud.
• Population estimée à 7 000 en 1770, une centaine en 1910 et disparue en 1930.

Coup
La valeur d'un guerrier indien se mesure à sa témérité et à ses exploits, en particulier le nombre de coups portés à ses adversaires. Le bâton à coups était affecté à cet usage, mais les coups pouvaient être portés à main nue et n'en avaient que plus de valeur, le but premier n'étant pas de tuer l'adversaire. Cette pratique, répandue dans les Grandes Plaines, illustre ce qu'étaient les guerres tribales : de brèves échauffourées consécutives, par exemple, à un vol de chevaux, ou si le nombre de participants était élevé, le combat de deux champions. Quelle que soit l'issue, il ne s'agissait jamais de s'accaparer le territoire de l'autre, mais de s'en réserver la liberté d'accès.

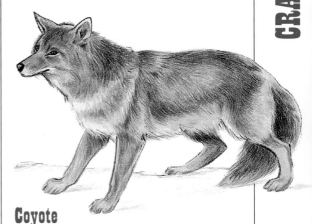

Cowichans

- Nom à signification inconnue.
- Langue : salishan.
- Tribu établie au sud-est de l'île de Vancouver.
- Ils furent successivement en contact avec les Espagnols, les Anglais et les Américains ; l'installation de l'*Hudson Bay Company*, la fondation de la ville de Victoria en 1843 et la ruée des mineurs devaient sceller la disparition de leur mode de vie.
- 5 000 en 1780, 1 300 en 1907.

Coyote

Félin carnivore, *Canis latrans* est commun sur l'ensemble du territoire nord-américain. On le connaît pour ses cris aigus qui percent les oreilles, sa rapidité à la course, ses ruses pour traquer ses proies ou pour échapper à ses prédateurs. Les Blancs l'accusent (à tort) de massacrer leurs troupeaux ; les Indiens l'apprécient davantage. Dans leurs contes, le coyote ne cesse de jouer des tours à tout le monde. Capable de prendre les formes qu'il veut, il réunit tous les défauts et qualités en un seul être : force et faiblesse, courage et lâcheté, droiture et mensonge…

Crazy Horse
Tasunka Witko (vers 1845-1877)

Chef et *medicine man* des Sioux Oglalas. Connu pour son courage incomparable, son charisme et sa persévérance, il fut l'un des artisans en 1866 de la défaite du capitaine

71

Fetterman ; puis il bat le général CROOK à ROSEBUD et participe, le 25 juin 1876, à la déroute du 7e régiment de cavalerie du général CUSTER à LITTLE BIG HORN. Après la destruction de son camp en janvier 1877, Crazy Horse (« Cheval fou ») se rend au général Crook en mai avec 2 000 personnes de son peuple. Emprisonné, il est sommairement abattu le 7 septembre de la même année, soi-disant lors d'une tentative d'évasion.

• Aux côtés des Tamassees pendant leur révolte (1715), ils s'opposèrent aux Cherokees pour l'hégémonie régionale (1753) et s'allièrent aux Anglais contre Français et Espagnols. Cela n'empêcha pas les colons britanniques d'envahir leurs terres. Après l'indépendance américaine, les Creeks menèrent en vain la révolte des Red Sticks (1812-1814) et se résignèrent à intégrer les « CINQ TRIBUS CIVILISÉES ». Leur exil forcé vers le lointain OKLAHOMA commença en 1836.
• Environ 20 000 au début du XVIIIe siècle. Leurs descendants sont nombreux (43 000 au recensement de 1990) et, pour la plupart, installés dans des réserves en Oklahoma.

Creeks

• De l'anglais *creek*, car ils vivaient aux abords de la rivière Ochulgee, que les Européens appelaient Ochese Creek. Eux-mêmes se nommaient *Muskoke*, du nom de la tribu dominante.
• Langue : muskogean.
• Leur vaste territoire correspondait aux États actuels de Géorgie et d'Alabama.
• Confédération de tribus réunies autour des Muskokes, les Creeks étaient excellents agriculteurs (maïs, courges, tournesols), à l'occasion chasseurs et pêcheurs. Leurs villages étaient fortifiés.

• Stratégiquement établis, les Crees furent au cœur de la concurrence franco-anglaise pour le contrôle du commerce des fourrures. Alliés au peuple frère CHIPPEWA, ils entretinrent de bons rapports avec les Blancs, au détriment des Athabascans du Nord et de l'Ouest.

• Estimée à 15 000 individus en 1776, la population Cree fut sévèrement touchée par la variole. Tombés à 2 500 au XIXe siècle, les Crees seraient aujourd'hui 10 000 au Manitoba, et 5 000 dans les Territoires du Nord.

Crees

• Contraction de *Christinaux*, forme française de *Kenistenoag*, l'un de leurs noms. Eux-mêmes s'appelaient *Iyiniwok*, « Ceux de la première race ». Les Athabascans du Nord les désignaient du nom de *Enna*, « Ennemis ».

• Peuple charnière entre Algonquins et Athabascans, les Crees étaient scindés en deux branches : les Crees des Plaines et les Crees des Bois (*voir ci-dessous*).

Crees des Bois

• Occupaient l'espace entre la rive ouest de la baie James et le lac Athabasca.
• Langue : algonquian.
• Chasseurs et pêcheurs, ils excellaient dans la conduite de leurs canots en écorce de bouleau.

Crees des Plaines

• Langue : algonquian.
• Alliés des Assiniboins contre leurs ennemis communs Siksikas et Dakotas. Certains participèrent avec leurs chefs Poundmaker et Bigbear et les Assiniboins à la révolte des Bois Brûlés (1885) qui avaient établi un gouvernement provisoire du Saskatchewan.

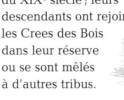

• Population estimée à environ 4 000 au milieu du XIXe siècle ; leurs descendants ont rejoint les Crees des Bois dans leur réserve ou se sont mêlés à d'autres tribus.

73

Crockett
Davy (1786-1836)

Jeune homme, il se distingue d'abord comme pionnier et chasseur d'OURS. Après avoir combattu les Indiens Creeks (1815), il est nommé magistrat puis colonel dans la milice du Tennessee. En 1826, Crockett devient représentant de l'État du Tennessee au Congrès des États-Unis. Il meurt le 6 mars 1836 en défendant Fort Alamo contre les troupes mexicaines.

Crook
George (1828-1890)

À l'issue de la guerre de Sécession, le président Grant confie à ce général de cavalerie la « pacification » de nombreux territoires indiens. Crook remporte quelques succès… et gagne vite une réputation flatteuse en raison de ses choix tactiques et de son utilisation de SCOUTS indigènes. Dans les Plaines, il s'adjoint de nombreux CROWS pour affronter les hommes de SITTING BULL et CRAZY HORSE. En Arizona, il reçoit la reddition de GERONIMO, le 27 mars 1886. Soldat intraitable, Crook est resté célèbre pour sa droiture, la valeur de sa parole et le respect porté à ses ennemis.

Crows

• Leur propre nom était *Absaroke*, « le Peuple de l'oiseau ». Les Français les appelaient « Gens du Corbeau », d'où leur nom anglais.
• Langue : siouan.

• Installés au Montana sur le cours de la Yellowstone et de ses affluents : Bighorn, Rosebud et Powder et, plus au sud, la rivière Wind au Wyoming.
• Séparés des Hidatsas vers 1776, les Crows étaient un peuple fier, belliqueux, méprisant pour les Blancs, se consacrant à la chasse aux bisons. Leur élégance les fit surnommer par les Français « les Brummels du monde

Crows

Croyances

Les Indiens n'avaient pas de religion au sens européen du terme… mais ils avaient des croyances. Ils croyaient leur monde peuplé de puissances maléfiques qu'il fallait redouter, ou bénéfiques qu'il fallait honorer. Cette nébuleuse de forces devait être pour eux à l'image de la nature qui les entourait : infinie, puissante, mystérieuse, majestueuse, chargée de dangers, mais aussi prodigue de bienfaits. Le tonnerre, les éclairs, les tornades et autres calamités étaient à l'évidence les mouvements d'humeur de ces forces ; le froid, le blizzard, la sécheresse, une rançon à payer pour mériter tous les cadeaux de cette nature : la lumière du jour, le renouveau du printemps, le gibier abondant, l'eau fraîche des lacs et des cours d'eau, les fleurs, les fruits, les oiseaux et leurs plumes si décoratives.

indien ». Possédaient environ 10 000 chevaux.
• Visités par Lewis et Clark en 1804, les Crows étaient en guerre permanente contre les Siksikas et les Dakotas. Servirent comme éclaireurs pour la cavalerie américaine.
• 4 000 en 1780. Près de 8 500 en 1990 dans une réserve sur le cours de la rivière Bighorn (Montana).

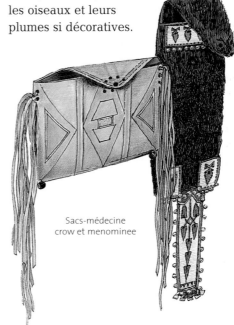

Sacs-médecine crow et menominee

Pour les Indiens, tout ce qui est, vivant ou non, possède une spiritualité : les hommes, les animaux, les plantes, les pierres, la terre, autant d'éléments reliés entre eux par des fils mystérieux. Si les BISONS sont nombreux dans la plaine, ce n'est pas la conséquence d'un cycle immuable, c'est parce que l'Indien aura plaidé avec conviction auprès des ESPRITS, et que ceux-ci auront exaucé ses prières… Il faut évoquer ces esprits avec ferveur pour que rien ne vienne troubler le bel ordonnancement des choses, pour que le soleil se lève chaque matin, que le printemps succède à l'hiver, que la chasse soit bonne ou que la récolte soit belle. Quand l'Indien est encore adolescent, il doit se retirer à l'écart de sa famille pendant plusieurs jours, en observant un jeûne absolu. Le premier animal qu'il voit alors en rêve deviendra son protecteur et lui fournira la peau de son sac « médecine ». La chose faite, il ne devra plus jamais tuer un animal de cette espèce sous peine de se détruire lui-même. Cette « médecine » est un ensemble d'objets-talismans que chaque guerrier porte sur lui et que nul ne doit apercevoir. Elle lui est indispensable, non pour se soigner, mais pour se protéger et y trouver les présages qui vont guider ses décisions.

Le guerrier dispose d'un second sac-médecine, moins secret celui-là, dans lequel il range son CALUMET, son tabac, ses peintures et quelques talismans personnels, souvenirs de chasse ou d'exploit guerrier.

Curtis
Edward Sherif (1868-1952)

Photographe américain. De 1897 à 1930, il entreprend un long périple qui va le conduire à visiter les grandes nations indiennes : Apaches, Sioux, Cheyennes, Papagos, Hopis, Zunis, Pueblos… Son projet est de fixer par l'image l'histoire des tribus, leur vie, leurs cérémonies, leurs parures. Il s'intéresse aussi à leur organisation sociale. Collectés de village en village, 40 000 clichés témoignent de son obstination à enregistrer pour la postérité le souvenir d'un monde que les « Visages pâles » ont détruit.

Custer
George Amstrong (1839-1876)

Militaire américain. Héros nordiste de la guerre de Sécession, il devient général à vingt-quatre ans. Il en a trente-six lorsqu'il reçoit le commandement du 7e régiment de cavalerie. Mais ses opérations contre les Indiens sont loin de faire l'unanimité parmi les « tuniques bleues » et les pionniers. Ayant réussi à unifier contre lui l'ensemble des Sioux et des Cheyennes, Custer tombe avec deux cents hommes au combat de LITTLE BIG HORN, le 25 juin 1876.

Jeune fille Kalispel, photo de Edward Curtis, 1910.

D

Dakotas

• « Alliés » en santee ; se disait
Nakota en yankton et *Lakota* en teton.
Ils formaient l'un des plus grands
peuples de la nation Sioux.
• Langue : siouan.
• Chassés par les Crees de la région
des sources du Mississippi au XVIIe
siècle, les Dakotas occupent au début
du XIXe siècle un vaste territoire
comprenant tout le Dakota du
Sud et une partie des États

actuels du Dakota du Nord, du Montana,
du Wyoming, du Nebraska, de l'Iowa,
du Wisconsin et du Minnesota.
• Jusqu'au milieu du XIXe siècle, rares
sont les affrontements avec les Blancs ;
les Dakotas s'emploient surtout
à affirmer leur suprématie sur leurs
voisins (Ojibwas, Crees, Blackfeet,
Crows, Pawnees ou Kiowas).
En 1851, les frontières des territoires
sioux sont définies par un traité. Mais
en 1862, les Santees du Minnesota
se voient dépouillés de leurs meilleures
terres contre des indemnités dérisoires.
Au bord de la famine, ils profitent de
la guerre de Sécession pour attaquer.
L'insurrection fait 800 victimes civiles
et militaires et 80 morts indiens.
Les Santees sont vaincus à Woodlake
(22 septembre 1862). En 1863,
l'armée US entreprend une campagne

punitive (batailles de Whitestone et des Badlands). Le massacre de SAND CREEK jette Cheyennes et Arapahos dans la guerre (batailles de Platte Bridge et de Wolf Creek en 1865). Au mépris total des traités, la découverte de l'OR au Montana et dans l'Idaho provoque l'ouverture de la piste BOZEMAN. Ainsi commence un nouvel épisode guerrier de 1865 à 1868, où se distinguent Red Cloud et Crazy Horse. Le traité de Fort Rice (avril 1868) consacre les droits des Indiens. En 1872, le gouvernement décide la construction d'une voie ferrée entre les montagnes de la Bighorn et les Black Hills. La guerre recommence, marquée par les batailles de Rosebud (1876) et la défaite du général CUSTER à Little Big Horn (25 juin 1876). Après ce désastre, l'armée US traque les Sioux qui se réfugient au Canada avant de regagner leur réserve en 1881. En 1889, un Paiute nommé WOVOKA annonce la venue d'un messie indien pour chasser les envahisseurs blancs : censée hâter l'événement,

la GHOST DANCE se répand dans les tribus Sioux. Cet ultime sursaut se termine par la mort de SITTING BULL et le massacre de Wounded Knee en 1890.

• Population estimée à 25 000 en 1780. Les Sioux Dakotas étaient, en 1970, 2 500 au Canada et 52 000 aux USA. Réserves au Minnesota, Montana, Nebraska et, surtout, dans les deux Dakotas (à Pine Ridge, Rosebud et Standing Rock). 103 000 au recensement de 1990.

Danse

Manifestation de joie ou expression d'une exaltation, la danse était un élément important de toutes les cérémonies sociales (gratitude pour bonnes récoltes), guerrières (départ ou retour d'une expédition, préservation de leur vie), religieuse (remerciements aux ESPRITS pour les bienfaits apportés pour l'année écoulée).

Il existait des danses particulières aux SOCIÉTÉS, clans, tribus, ou spécifiques pour certaines circonstances (danse du Scalp, du Calumet, du Cerceau, du Serpent, du Soleil...). Certaines étaient réservées aux hommes, d'autres aux FEMMES (*squaw dance* ou, par exemple, celle pratiquée en l'absence des guerriers partis pour la chasse, pour assurer le succès de leur entreprise). Il existait des danses individuelles (chaman), d'autres sollicitant plusieurs participants, seule la place limitant leur nombre.

Des « pas » très précis illustraient le thème de la cérémonie par exemple, le pied touche le sol et glisse rapidement vers l'arrière, imitant le bison grattant le sol avant de charger dans la *Buffalo dance*).

Dekanawida

(« Deux rivières qui coulent ensemble »)

Prophète (probablement Huron d'origine) du XVe siècle et qui inspira la fondation de la Confédération des cinq nations IROQUOISES.

Delawares

• Du nom de Lord de La Warr, gouverneur de la Virginie. Eux-mêmes s'appelaient *Lenni-Lenapes*, les vrais Hommes, ou Hommes parmi les hommes.

• Langue : algonquian.

• Établis dans les États du Delaware, du New Jersey, et dans l'est de la Pennsylvanie.

• Chasseurs, pêcheurs et cultivateurs. Considérés avec respect par les autres nations algonquines, du fait de leur suprématie dans la région (on les surnommait les *Grands-Pères*). Étaient organisés en trois clans : *Munsee* (le Loup), *Unalachtigo* (le Dindon) et *Unami* (la Tortue).

• Après des débuts difficiles avec les Hollandais, le chef delaware

Tammady signa avec William PENN en 1683 un traité qui ouvrit une ère de paix de plus de 50 ans. Mais les fils de Penn spolièrent les Delawares de leurs meilleures terres à l'occasion de la *Walking Purchase* (1737). Les Indiens furent alors contraints à l'exil vers les vallées du Susquehanna et de l'Ohio.

• Participèrent aux ultimes révoltes dans l'Est sous la conduite de LITTLE TURTLE (1790) et TECUMSEH (1812). Pendant la guerre de Sécession, les Delawares luttèrent aux côtés des Nordistes.

• Existe une réserve en Oklahoma. (9 300 individus en 1990).

De Soto
Hernando (1499-1542)

Conquistador espagnol, compagnon de Pizarre au Pérou, en 1532, il est convaincu qu'existent au Nord de fabuleuses richesses. Il débarque en 1531 à Tampa Bay, sur la côte occidentale de la Floride, et, avec son millier d'hommes, remonte vers le nord et entame un périple sanglant en traversant les territoires des Timucuas, des Cherokees, des Creeks, des Chickasaws et des Mobiles. L'expédition atteint le Mississippi en 1542 où de Soto meurt, ruiné par les fièvres. Après avoir tenté de se frayer un passage à travers le Texas, l'expédition descend le Mississippi sur des embarcations de fortune, subit les attaques incessantes des Indiens Natchez et atteint enfin le Mexique. Les Espagnols ne sont plus que 300.

Deuil

Les Indiens n'étaient pas obsédés par l'au-delà. Pour eux, qui ignoraient la notion d'enfer, l'autre monde était semblable au leur et les hommes s'y retrouvaient rassemblés selon leur mort : un guerrier tué au combat ne pouvait, à l'évidence, côtoyer sur les terrains de chasse de l'éternité un villageois mort de vieillesse.

Le présent les intéressait en premier lieu et si l'idée de la mort ne les effrayait pas, ils étaient par contre préoccupés par la façon de mourir, être tué au combat leur semblant le sort le plus enviable.

Ils craignaient beaucoup les fantômes qui, selon eux, étaient les âmes de braves morts étouffés ou ayant subi tortures ou mutilations (guerrier scalpé, défiguré…).

Si les vieillards, incapables de suivre la tribu, étaient simplement abandonnés, la mort d'un guerrier provoquait des manifestations évidentes de douleur : son épouse se frappait, se coupait les cheveux et s'infligeait de cruelles blessures. Les funérailles étaient simples et rapides. Si la coutume de la tribu imposait l'enterrement, seule la terre était nivelée et quelques pierres empilées en marquaient l'emplacement. Si la crémation était la règle, le mort était brûlé avec ses armes et ses outils. Le CHEVAL préféré du disparu était souvent sacrifié.

D'autres tribus abandonnaient le corps dans une caverne ou à la fourche d'un arbre. Les Dakotas dressaient une plateforme où le corps se décomposait lentement. Les ARMES, les outils, les biens, la demeure du mort étaient brûlés. Ses proches s'efforcent alors pendant longtemps de ne plus prononcer son nom, ni celui de son animal-TOTEM. Toute trace du disparu devait ainsi être effacée : il était retourné au sein de leur mère à tous, la Terre.

Dhegihas
(« Sur ce côté »)

Ce terme désigne une des divisions du groupe siouan comprenant les tribus Omaha, Ponca, Osage, Kansa et Quapaw. Au XVe siècle, ils formaient avec les Chiwères et les Winnebagos une nation importante au nord des Grands Lacs. Dans leur migration vers le sud, ils laissent les Winnebagos sur les bords du lac Michigan et se séparent des Chiwères. Conservant certaines traditions de la grande forêt, ils optent pour un semi-nomadisme associant agriculture et chasse aux bisons.

Dindon

(*Meleagris gallopavo*). Le dindon vivait à l'état sauvage dans tout le Sud-Est. Il était pour les Indiens un gibier abondant, mais certaines tribus,

le jugeant stupide et peureux, refusaient de le consommer par crainte d'hériter de ses défauts !

Dogribs

• Leur nom, *Thlingchadinne*, signifiait « Peuple du flanc du chien ». Selon une légende, cette tribu était née de l'union d'une femme et d'un être surnaturel moitié homme, moitié chien.
• Langue : athabascan.
• Territoire séparant le Grand Lac de l'Ours et le Grand Lac des Esclaves.
• Vivaient en bonne intelligence avec leurs voisins Slaves, dont ils partageaient la réputation de peuple pacifique. Grands, peu communicatifs, les Dogribs chassaient

le CARIBOU et le bœuf musqué. Portaient moustache et barbe.
• Repoussés vers le nord par les incursions des Crees, ils s'exclurent d'eux-mêmes du commerce des fourrures par crainte de traverser le territoire de tribus rivales.
• Population estimée à 1 250 en 1670, ils étaient encore un millier en 1906.

Dog Soldier

voir Sociétés

Dull Knife
(vers 1845-1883)

Tah-me-la-pash-me (« Couteau Émoussé ») était un surnom donné par les Sioux à la suite d'un combat à l'arme blanche. Il s'appelait en réalité *Waviev* : « Étoile du matin ». Chef des CHEYENNES du Nord, allié de RED CLOUD, signataire du traité de Fort Laramie de 1868, il reprend le combat aux côtés de Sitting Bull et de Crazy Horse en 1876. Traqué, fait prisonnier, il est déporté en Oklahoma avec sa tribu. Refusant de voir son peuple mourir de faim, Dull Knife encourage les siens à quitter la réserve pour regagner le sol natal. Trahis, traqués par l'armée, leur errance se termine par le massacre de Fort Robinson, le 9 janvier 1879. Avec quelques survivants, Dull Knife sera placé dans une réserve sur la rivière Tongue avec la bande de Little Wolf… Les Cheyennes avaient retrouvé le pays des bisons !

E

École

Les petits Indiens ne connaissaient que l'école de la vie et de la nature. À la fin du XIXe siècle, le gouvernement américain entreprit d'ouvrir des écoles pour les enfants des réserves. Cette initiative répondait à deux objectifs : intégrer les plus jeunes dans la société américaine et réduire l'héritage culturel que tentaient de préserver les survivants adultes des réserves. Plus de quatre mille jeunes d'une douzaine de tribus furent accueillis dans la *Carlisle Indian School* en Pennsylvanie de 1875 à 1918, où leur fut imposée une sévère discipline. D'autres écoles de ce type furent ouvertes, mais l'expérience ne donna pas les résultats escomptés ; elle déboucha en fait sur un double rejet : celui de la culture d'origine pour quelques-uns, du système d'intégration pour la plupart. Dans les réserves, d'autres écoles furent ouvertes avec des enseignants indiens. En 1913, 78 % des jeunes Amérindiens étaient scolarisés.

Écureuil

De nombreuses espèces d'écureuils peuplent les forêts nord-américaines, depuis l'écureuil volant *(Glaucomys*

sablinus) jusqu'aux différentes variétés de tamias ou écureuils terrestres *(Eutamias umbrinus, townsendii, minimus...)* en passant par les individus roux et gris *(Tamiasciurus hudsonicus, Sciurus griseus)*, voisins des espèces européennes.

Enfant

Comme dans la plupart des sociétés, les Indiens considèrent leurs descendants comme une richesse pour la communauté. La FEMME indienne garde son enfant dans un berceau qu'elle peut porter sur son dos ou accrocher à la branche d'un arbre proche de son lieu de travail *(voir* Papoose). L'allaitement se prolonge jusqu'à trois ou quatre ans. Dès qu'ils marchent, les enfants vont en toute liberté et c'est progressivement qu'on les initie à leurs futures responsabilités d'adultes. Les filles sont formées par les mères aux tâches dévolues à leur sexe, les garçons pris en main par les hommes qui les instruisent aux techniques de CHASSE et de PÊCHE. Les jeunes garçons développent ainsi leur adresse et leur force pour devenir de valeureux combattants : ils sont alors davantage contraints de respecter la discipline imposée par les plus anciens. Ainsi, tel jeune chasseur qui n'obéit pas aux consignes est durement corrigé. Le lignage par les femmes constituant la base de l'organisation dans la plupart des tribus, c'est un frère de la mère (ou tout autre homme lié au sang maternel), et non le père, qui est le responsable de l'éducation de chaque garçon. L'apprentissage sexuel se fait naturellement ; les relations précoces ne sont pas interdites, car les Indiens

dans ce domaine excluent toute notion de faute ou de péché. Le passage de l'adolescence à l'âge adulte s'accompagne toujours d'un rituel initiatique et d'épreuves parfois cruelles.

Épidémies

Vivant sur un continent longtemps isolé du reste du monde, les Indiens n'avaient développé aucune défense naturelle contre des maladies communes en Europe. Ils furent contaminés dès le XVIe siècle : quels que furent la maladie et son degré de gravité (de la scarlatine et les oreillons pour les plus bénignes, à la VARIOLE et au choléra pour les plus dangereuses), l'issue était toujours mortelle. Les premières épidémies graves avaient frappé le Texas, la Louisiane, le cours des rivières Missouri, Saskatchewan et Columbia. Certaines, au XVIIIe siècle, avaient été provoquées sciemment, comme lors des initiatives criminelles du général AMHERST. La variole frappa ensuite, de 1815 à 1837, plusieurs tribus de la Grande Plaine : Assiniboin, Arikara, Comanche, Pawnee, Blackfeet. Atteinte à son tour, la tribu MANDAN disparut complètement (1 569 morts sur un effectif d'environ 1 600). De 1854 à 1870, de nouvelles vagues de la maladie réduiront de 25 à 50 % l'effectif des tribus Crow, Arikara, Atsina, Kiowa, Cheyenne, Cree... On estime qu'il y eut, du XVIe au XIXe siècle, davantage d'Indiens morts par maladie que du fait des guerres.

Érable

Trois espèces d'érables prospéraient dans l'est du continent *(silver maple, red maple et sugar maple)*. De cette dernière espèce, les Indiens extrayaient au printemps une sève abondante ; elle était stockée dans des chaudrons en écorce de bouleau et on la portait à ébullition en y jetant des pierres brûlantes. Le sirop obtenu était un appoint nutritif important pour les Iroquois et les Algonquins de l'Est. Transmise aux colons, la recette demeura un aliment apprécié.

Ériés

• *Ga-Qua-Ga-O-No* pour les Iroquois. *Yenresh* pour les Hurons. *Ken-raks* pour les Tuscaroras, cette dernière variante déformée par les Européens en Érié.
Tous ces noms faisaient référence au bobcat, variété de lynx, d'où le nom de *Cat Nation* pour les Anglais.
• Langue : iroquoian.
• Territoire situé entre le sud du lac Érié et le cours supérieur de la rivière Ohio. Villages de petite agriculture (maïs) et de pêche.
• Affaiblis par les épidémies et dépourvus d'armes à feu, les Ériés furent presque totalement anéantis par les Iroquois en 1657. Les survivants intégrèrent comme captifs l'effectif de leurs vainqueurs… avec lesquels leurs descendants se sont progressivement assimilés.

Eskimo

Terme péjoratif utilisé en particulier par les Naskapis et les Crees pour désigner les Inuits. *Eskimo* vient de *Askimon* qui signifie en langue algonquiane « Il mange cru », allusion à la coutume des Inuits de consommer sans cuisson la viande de phoque.

Eskimo-Aleut

voir Langues p. 18

Esprits

Le monde invisible des Indiens est peuplé par les esprits, en premier lieu le *Grand Esprit*, dont on sollicite des indications sur la voie à adopter dans les différents rituels ou cérémonies. Les peuples de langue algonquiane le nomment Manitou, les Iroquois Orenda, les nations Sioux Wakanda ou Wakan Tanka. Sont également honorés l'Esprit tutélaire qui accompagne et protège chaque individu, et tous les esprits qui peuplent le monde végétal et surtout le monde animal. À l'image des hommes, les esprits font partie de l'ordre naturel de l'univers et ont leur rôle à y jouer.

Eulachon

Petit poisson, également dénommé *Candlefish* (poisson-bougie), abondant sur la côte nord Pacifique et très riche en huile. Les eulachons étaient capturés au filet, en grande quantité, par les Tsimshians et donnaient lieu à deux préparations différentes :
• une fois séché, une mèche était enfilée dans son corps et le poisson utilisé comme une bougie ;
• les eulachons étaient stockés dans un canoë à demi enterré dans le sable et qui se remplissait d'eau progressivement. Quand les poissons étaient dans un état avancé de pourriture, le mélange était chauffé longuement et l'huile recueillie à la surface. Cette huile, débarrassée de ses impuretés, donnait lieu à un commerce actif avec les Haïdas et les Tlingits.

Everglades

Vaste zone marécageuse de la partie méridionale de la Floride, au sud du lac Ockeechobee. Peuplé par une faune abondante, en particulier des alligators, ce type de biotope est courant à proximité du littoral sur les côtes de Floride et dans le bassin inférieur du fleuve Mississippi.

Paysage des Everglades

87

F

False Face Society

Chez les Iroquois, la guérison des affections touchant la tête, les épaules et les membres relevait de la vocation des membres de la « Société des Visages faux ». Une fois sollicités, les membres de cette confrérie arrivaient chez le malade, faisaient cercle autour de lui en portant des masques fantastiques. Certains dansaient en agitant des grelots, d'autres ramassaient des cendres qu'ils jetaient sur le patient… Celui-ci, une fois guéri, devenait membre de la Société. Les masques étaient très différents et fort impressionnants,

évoquant le *False Face* d'origine, entité surnaturelle punie par le Grand Esprit pour sa vantardise et condamnée depuis à soigner les malades.

Famille

Le mariage indien n'avait pas la même signification que dans les sociétés européennes. Si l'on ne peut exclure que des Indiens et des Indiennes furent amoureux, le mariage apparaît davantage comme un contrat entre deux êtres. L'un assurera la subsistance et la sécurité, l'autre tiendra le logis et sera féconde. La main de la future épousée s'obtient par des cadeaux que le guerrier désireux de convoler adresse à son futur beau-père : vivres, peaux, tabac, chevaux… La transaction ne se fait qu'avec l'accord de la future épousée. Si l'on estime que le prétendant a fait preuve d'une générosité suffisante, rien ne s'oppose à la cérémonie : réjouissances pour tout le village avec festin, danses et chants célébrant les exploits de la famille du brave. L'union peut se rompre avec la même facilité et sans drame… mais l'adultère est sévèrement châtié. En principe, les Indiens sont monogames mais rien ne s'oppose à ce qu'un homme ait deux épouses. Loin de susciter la réprobation, une telle situation sera au contraire toute à l'honneur du valeureux époux. Car pour avoir famille nombreuse, voire multiple, mieux vaut être un talentueux chasseur, capable de nourrir les siens en rapportant un abondant gibier. La bonne solution, pour ces champions, est d'épouser deux sœurs : ils sont certains, alors, qu'une bonne entente régnera au sein de la famille.

Paisiblement, ils attendent alors de rejoindre les territoires du Grand Esprit et ses vastes domaines de chasse.

Très aimés de leurs parents, les enfants n'en sont pas moins élevés durement, non par sévérité bornée, mais pour les aguerrir et les rendre aptes à remplir leur rôle à l'âge adulte.

Les femmes âgées et les (rares) vieillards jouissent d'un évident respect : une longue vie confère une grande expérience et leurs avis, empreints de sagesse, sont fort écoutés. Quand leurs forces déclinantes ne leur permettent plus d'assumer leurs tâches, ou même de suivre la tribu, ils sont abandonnés, souvent à leur propre demande.

Feast of the Dead

Ce que les Hurons craignaient dans la mort, c'était la séparation d'un défunt d'avec sa communauté. « La fête des Morts » avait pour objet de réintégrer les restes des disparus dans un même lieu. Les cadavres étaient déterrés, les os nettoyés, et l'ensemble rassemblé dans une même fosse. Ce lugubre rituel s'accompagnait de danses et de libations.

89

Femmes

La femme indienne assume une part importante des tâches, mais son rôle et ses prérogatives varient suivant les tribus et les cultures. Elle n'est parfois qu'une esclave, écrasée de travail, dont on attend en priorité qu'elle soit capable de mettre au monde un maximum d'enfants. Heureusement, elle n'est pas toujours confinée dans un rôle subalterne et sa place au sein de la FAMILLE, voire de la tribu, s'avère parfois prépondérante. Ainsi, les femmes IROQUOISES disposent d'un réel pouvoir, participant à la désignation des chefs et à leur éventuelle éviction si le mandat est mal rempli. Dans la majorité des tribus, elles détiennent le pouvoir économique : la demeure et tous les objets leur appartiennent ainsi que, parfois, les récoltes, les chevaux et autres animaux domestiques.

Apaches

Cheyenne

D'une façon générale leur incombent les travaux liés à l'entretien de la demeure, à la préparation des aliments, à la confection des vêtements, des sacs et des mocassins. Elles sont expertes pour le tannage et la préparation des peaux, pour filer la laine des animaux et pour les travaux de tissage et de VANNERIE. Dans les tribus d'agriculteurs, les femmes prennent leur part des travaux agrestes : les hommes défrichent et préparent le terrain, les femmes plantent et récoltent (maïs, haricots, patates, tomates…). De même, si la fabrication des bijoux et des poteries relève davantage de la compétence masculine, ce sont ` les femmes qui mènent à bien les décorations à base de plumes, piquants de porc-épic, graines et coquillages qui ornent vêtements, coiffes, sacs et autres accessoires. À partir du XVIIIe siècle, la venue des perles de verre coloré, obtenues dans les transactions avec les Blancs, modifiera cet artisanat traditionnel, en particulier, pour la confection des WAMPUMS.

Il est difficile de savoir si les femmes indiennes consacraient beaucoup de temps à la cuisine, mais il est sûr, par contre, que la mise en œuvre

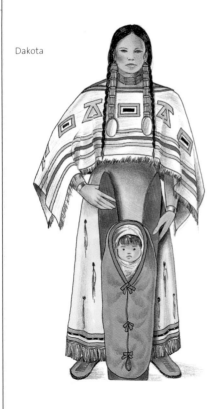

Dakota

du séchage de viande (le *jerky*) ou des poissons, de même que la préparation du PEMMICAN étaient des opérations longues et minutieusement conduites.

Fernandenos

• La tribu était ainsi appelée du nom d'une des deux missions espagnoles installées sur leur territoire.

• Langue : uto-aztecan.

• Vallée de Los Angeles, en Californie.

• Population estimée à 2 000 en 1770. Aujourd'hui, la tribu a totalement disparu.

Finger Lakes

Série de lacs profonds (jusqu'à 210 m), étroits et parallèles, situés au nord de l'État de New York et au sud du lac Ontario. Les principaux, d'est en ouest, sont les lacs Oneida, Skaneateles, Owasco, Cayuga, Seneca, Keuka, Canandaigua. L'ensemble constitue le centre du territoire de la Ligue des cinq nations IROQUOISES. Celles-ci pensaient que les lacs avaient été créés par une divinité ayant posé la main sur le pays.

Flatheads

• L'une des tribus du groupe Salish est plus connue sous le nom de *Flathead*, « tête plate », expression que les Blancs employaient à l'égard des tribus qui déformaient le crâne des jeunes enfants par un bandage frontal. Abusés par la présence de Chinooks (sans doute esclaves) dans des tribus salishs, des trappeurs canadiens surnommèrent ainsi ce peuple, alors qu'il ne pratiquait nullement cette mutilation !
• Langue : salishan.
• Vivaient à l'ouest du Montana.
• Chasseurs de daims et de bisons.
• Inexorablement refoulés vers l'ouest par leurs ennemis Blackfeet, les Flatheads vécurent en paix avec les Blancs. Ils cédèrent leur territoire au gouvernement en 1855 contre l'octroi d'une réserve au Montana.
• 600 individus au début du XXᵉ siècle.

Fort Laramie

C'est un trappeur français, La Ramée, qui est à l'origine du nom. Le fort était situé au confluent de la rivière North Platte et de la rivière Laramie, au sud-est du Wyoming. D'abord baptisé Fort William, ce fut dès 1834, le poste de la Compagnie des fourrures avant d'être en 1876, compte tenu de sa position stratégique, un fort militaire pourvu d'une importante garnison.

Four Corners

« Quatre Coins ». Point de jonction des quatre États américains de l'Utah, du Colorado, de l'Arizona et du Nouveau-Mexique, zone occupée par les ANASAZIS il y a 2 000 ans et, depuis le XVIe siècle, par les NAVAJOS.

Fox

• Nom donné par les Blancs en référence à l'un de leurs clans, Red Fox, « le Renard rouge ».

Leur nom *Meshkwaking* signifiait « Peuple de la terre rouge ».
• Langue : algonquian.
• Installés à l'est du lac Michigan, au sud du territoire des Sauks (État du Wisconsin).
• Semi-nomades, cultivateurs et chasseurs de bisons.
Réputés extrêmement agressifs, ils entretenaient des luttes permanentes contre les OJIBWAS.
• En contact avec les Européens dès 1660, les Fox prirent le parti des Anglais contre les Français qui cherchaient à commercer avec leurs ennemis Sioux. Proches de l'extinction, ils fusionnèrent avec leurs voisins SAUKS dont ils partagèrent toutes les entreprises, hormis la révolte de Black Hawk en 1832.
• Réserves dans l'Oklahoma (avec les Sauks) et en Iowa.

Frémont,
John Charles (1813-1890)

Avant de se lancer dans la politique, ce fils d'immigrant français parcourut les terres inexplorées entre les frontières du Missouri et le sud des montagnes Rocheuses. En 1843, il parvint à atteindre l'Oregon et le Pacifique, se heurtant à de nombreuses tribus indiennes qui lui barraient le passage. Frémont contribua à l'annexion de la Californie par les États-Unis (1850). Nommé général durant la guerre de Sécession, il termina sa carrière comme gouverneur du territoire de l'Arizona.

Gabrielinos

- Nom issu de San Gabriel, l'une des deux missions (l'autre étant San Fernando) de la région de l'actuelle Los Angeles.
- Langue : uto-aztecan.
- Établis sur le cours de la rivière San Gabriel, l'île de Santa Catalina et le littoral du Pacifique jusqu'à l'actuel San Clemente.
- 5 000 individus (avec les Fernandinos) en 1770. Disparus de nos jours.

Gall
(1840-1894)

Grand stratège, proche de Sitting Bull, il commande les Sioux Hunkpapas à la bataille de LITTLE BIG HORN, le 25 juin 1876. Après s'être enfui au Canada, Gall se soumet en janvier 1881 et accepte, en 1889, la charge de juge tribal dans la réserve de Standing Rock.

Gan Dance

Pour les Apaches, les Gans étaient les ESPRITS de la montagne, dotés du pouvoir de guérir des maladies et de déjouer toute mauvaise action des diables malveillants. Ils se manifestaient lors de la Sunrise Dance, cérémonie rituelle qui se déroulait quand une ou plusieurs filles devenaient pubères. La cérémonie durait quatre jours (le quatre était un nombre sacré), et des chants, des danses, des remises de cadeaux alternaient avec des libations. Chaque fille, maquillée et habillée de jaune (couleur symbolisant le pollen et la fécondité), était assistée d'une vieille femme qui l'informait des devoirs et privilèges liés à la féminité. Chaque soir, quatre danseurs symbolisant les Gans sortaient de leur cachette escarpée et venaient se joindre à la cérémonie. Leur danse se déroulait sous la direction du chaman qui avait supervisé leurs costumes, les accessoires et les PEINTURES rituelles de blanc et noir. La cérémonie s'achevait à l'aube, à l'issue de la quatrième nuit... Le chaman peignait alors un soleil sur la paume de sa main et l'élevait au-dessus de la tête de chaque jeune fille.

Geronimo
(1829-1909)

De son vrai nom Goyathlay (Celui qui bâille). Chef et homme-médecine des APACHES Chiricahuas. En 1858,

des BISONS et de tous les guerriers morts au combat. À la fin du XIXᵉ siècle, les Sioux (Tétons en particulier) transforment la danse des Esprits en cérémonie guerrière et revendicative : elle prédit l'anéantissement des Blancs et la récupération par les Indiens de leur territoires et de leur mode de vie ancestral. La danse est interdite par les autorités américaines qui décident aussi d'arrêter Sitting Bull, considéré comme un fomenteur de troubles. L'aboutissement de ces tensions culmine avec le massacre de WOUNDED KNEE, le 29 décembre 1890.

les Mexicains assassinent sa femme et ses trois enfants et, dès lors, Géronimo passera près de trente ans à guerroyer, au Nouveau-Mexique et en Arizona, contre les envahisseurs mexicains et américains : colons, soldats et autres chercheurs d'or. Dernier des grands combattants apaches après les disparitions de COCHISE et MANGUS COLORADO, il tente vainement de s'opposer à la déportation de son peuple vers des réserves arides et insalubres. Geronimo capitule en 1886 et meurt à Fort Hill (Oklahoma), non sans avoir dicté ses mémoires.

Ghost Dance

C'est un visionnaire paiute, WOVOKA, connu aussi sous le nom de *One who makes life* (Celui qui fait vivre) qui est l'inspirateur de cette « danse des Esprits ». Pour les participants, elle annonçait le retour des âmes

Goshutes

- De *Gossif*, « Leur chef »
et *Ute* (étymologie inconnue).
- Langue : uto-aztecan.
- Installés à proximité du Grand Lac Salé, au nord-ouest de l'État de l'Utah.
- Groupe sans histoire mais remarquable par sa capacité à survivre dans l'une des zones les plus arides du continent. Quand les lapins, oiseaux et rongeurs se faisaient rares, les Goshutes justifiaient leur surnom de *diggers* (Ceux qui creusent), donné également aux Paiutes, en grattant le sol pour se nourrir d'insectes ou de chenilles. Des serpents et des lézards pouvaient compléter leur ordinaire.
- N'étant pas citoyens américains, les jeunes Goshutes refusèrent de partir à la guerre en Europe en 1918, malgré des tentatives d'enrôlement forcé.
- 10 à 20 000 individus à leur apogée, les Goshutes sont environ 500 aujourd'hui.

Grant,
Ulysses Simpson
(1822-1885)

Général et homme d'État ; élu président des États-Unis en 1868, et réélu en 1872. Soucieux de mettre fin aux guerres indiennes, Grant inaugura sa présidence par une politique de conciliation qui n'obtint pas tous les résultats escomptés.

Great Serpent Mound

Vestige de la civilisation ADENA situé près de Cincinnati, dans l'Ohio. Il s'agit d'une élévation de terre de 1,50 mètre de haut et de 400 mètres de long en forme de serpent. D'autres sites Adena représentent oiseaux, tortues et silhouettes humaines.

Green Corn Ceremony

« Cérémonie du maïs vert », traditionnelle chez les tribus d'agriculteurs du Sud-Est (Creeks, Cherokees, Chickasaws, Choctaws…) marquant les dernières récoltes de maïs à la fin de l'été. Remerciement pour la récolte de l'année et espoir pour qu'une prochaine soit également abondante, la cérémonie se déroulait sur plusieurs jours sous le signe de la purification : accessoires de cuisine, intérieur des maisons… et bain final pour tous les participants.

Grizzly

Hôte des montagnes Rocheuses, de l'Alaska au Wyoming, le grizzly *(Ursus horribilis)* peut atteindre plus de deux mètres quand il se dresse sur ses pattes. Cet omnivore fait ses délices de diverses plantes, de fruits, de champignons, d'insectes, de petits ou grands mammifères et même de charognes. Grand amateur de poissons, il pêche le saumon avec dextérité. S'il évite l'homme, il reste dangereux car imprévisible. Son épaisse fourrure est évidemment convoitée par les Indiens.

Pour la majorité d'entre eux, l'ours est un animal très respecté, symbole de force et de sagesse. Certaines tribus le nomment même « Grand-Père ».

Gros-Ventres

Ce terme prête à confusion. Pour les Français, il désignait les Atsinas, ou Gros-Ventres des plaines, d'où confusion avec les Hidatsas, appelés aussi Gros-Ventres (de la Rivière).
• Langue : algonquian
• Les Gros-Ventres des Plaines se nommaient *A'aninin*, « Hommes de l'argile blanche ».
• Chasseurs de bisons, leurs tribus nomades étaient alliées aux Blackfeet.
• Environ 3 000 aujourd'hui, dont la moitié vivent dans la réserve de Fort Belknap (Montana) avec les Assiniboins.

Grouse

Proche des variétés européennes, la Spruce grouse *(Dendragapus canadensis)* peuplait la taïga et la toundra subarctiques. Une autre variété de ce bel oiseau, la Ruffed grouse *(Bonasa umbellus)*, partageait le même biotope.

97

HABITAT

1 - Papago
2 - Séminole
3 - Kutchin
4 - Mandan
5 - Wichita
6 - Ojibwa
7 - Sauk
8 - Haïda

5

6

7

8

H

Habitat

Suivant le type d'habitation, ce sont les femmes (*tipis* des plaines recouverts de peaux, abris des bois en écorce de bouleau…) et plus souvent les hommes (« longues maisons » iroquoises, igloos, villages hopis…) qui construisaient l'habitation. Utilisant les matériaux disponibles, l'architecture domestique des Indiens s'avéra toujours bien adaptée au mode de vie (sédentaire ou nomade) et au climat.

Osages

Iroquois

Haïdas

• Nom dérivé de *Xa'ida* : « Peuple ».
• Isolat linguistique.
• Établis sur les îles du Prince-de-Galles et de la Reine-Charlotte, au nord de Vancouver.
• Pêcheurs de haute mer (thon, morue, flétan et tous mammifères marins), ils creusaient leurs grands canots de mer dans les troncs de cèdre rouge.
• Remarquables sculpteurs sur bois, habiles commerçants et redoutables guerriers.
• Visités successivement par les navires de Juan Perez (1774), Bodega et La Pérouse (1786), les Haïdas furent durement touchés par la VARIOLE

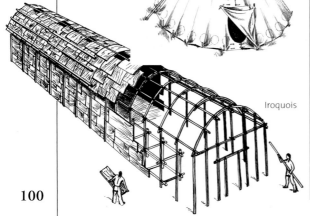

(80 % de la population emportée par la maladie).

• Environ 8 000 en 1760, ils étaient 600 en 1915, mais 1 500 en 1968 et près de 4 000 aujourd'hui sur l'île de la Reine-Charlotte (parc national haïda).

Hamatsa Society

Chez les KWAKIUTLS du sud de la côte Ouest, la société Hamatsa témoignait du pouvoir des chamans qui recrutaient des hommes et des femmes aspirant à bien établir leur position sociale dans la tribu. La SOCIÉTÉ Hamatsa vénérait le terrible « Esprit-Cannibale » et les cérémonies d'initiation prenaient

un caractère effrayant dans le but d'impressionner et de renforcer le pouvoir des membres sur le reste de la tribu. Au cours de ces cérémonies, les chamans portaient des costumes en écorce de cèdre et des masques peints simulant les oiseaux, amis de l'Esprit-Cannibale.

Havasupaïs

• « Peuple de l'eau bleue ».
• Langue : yuman, rattachée à la famille hokan.
• Installés près de Cataract Canyon sur le fleuve Colorado (nord-ouest de l'Arizona).
• Vivant en marge de l'Histoire, les Havasupaïs, bien cachés dans leur canyon, ne furent découverts par le franciscain Francesco Garces qu'en 1776. Cultivateurs et chasseurs, ils vivaient paisiblement dans leur paradis de verdure… Ils y sont toujours !

Hiawatha

Selon leur mythologie, il fut un temps où les tribus iroquoises vivaient dans un état permanent d'affrontements : escarmouches et règlements de compte personnels. Au début du XVe siècle, un sage nommé Dekanawidah fit un rêve : les grandes tribus des IROQUOIS devaient cesser de s'affronter pour se regrouper dans l'Union. C'est Hiawatha, un guerrier mohawk, qui porta le message de tribu en tribu et rallia les cinq grandes nations iroquoises : Seneca, Cayuga, Onondaga, Oneida et Mohawk. Ainsi naquit la Ligue des cinq nations, dont le conseil se réunissait chaque année chez les Onondagas, au pied de l'Arbre de la Grande Paix… Sur la dernière branche un aigle royal était perché !

Hidatsas

• « Saules », du nom d'un de leurs villages.
Les Mandans les appelaient *Minitaris* : « ceux qui ont traversé l'eau », en référence à leur première rencontre sur les bords du Missouri. Pour les trappeurs français, ils étaient les Gros Ventres de la Rivière (d'où confusion possible avec les Atsinas).
• Langue : siouan.
• Très liés aux Crows dont ils étaient issus.
• Voisins des Mandans sur le Missouri, ils observaient le même mode de vie. Ne pratiquaient pas l'*Okeepa* mais la danse du Soleil, également marquée par des tortures corporelles. Leurs sociétés étaient prépondérantes : « Soldat du Chien » pour les hommes, « Société du Bison Blanc » pour les femmes… Reçurent les mêmes visiteurs que les Mandans. Furent également atteints par l'épidémie de variole.
• 2 500 en 1830, un millier environ vers 1950 à Fort Berthold (Dakota du Nord). Un gouvernement tribal commun y a été constitué avec les Mandans et les Arikaras.

Hogan

Habitation traditionnelle des NAVAJOS, le hogan est de forme circulaire, constitué de trois poteaux réunis au sommet et orientés selon trois points cardinaux. Deux autres pieux marquent l'entrée qui s'ouvre à l'est. Cette structure est ensuite recouverte de bois, d'écorce et de terre.

Hohokams

Le peuple Hohokam s'installa cent ans av. J.-C. dans la vallée de la Gila au sud-ouest de l'Arizona. Habiles à tirer le meilleur parti de leurs ressources en eau, ils établirent des réseaux complexes d'irrigation : les fossés qui amenaient l'eau étaient profonds et enduits d'argile, ce qui limitait l'évaporation et les pertes par évaporation. De petits barrages permettaient de réguler le débit. Ainsi, les Hohokams s'assuraient deux récoltes annuelles, une au printemps après la fonte des neiges, la seconde à la fin de l'été. Voilà pourquoi on les surnomma les « fermiers du désert ». Pacifiques, ils étaient d'habiles artisans : poteries, gravures sur coquillages, sculptures de pierre, tissages. Sans doute victimes d'une vague de sécheresse, les Hohokams abandonnèrent leurs villages au XVe siècle. Les Pimas et les Papagos sont probablement leurs descendants.

Hokan

voir Langues p. 21

Holata Micco

(vers 1810-vers 1864)

Ce chef séminole surnommé Billy Bowlegs (« Billy les jambes arquées ») fut l'un des signataires du traité de Payne's Landing du 9 mai 1832, par lequel les SÉMINOLES acceptaient de migrer vers le territoire indien.

Mais ce n'est que 25 ans plus tard, après les affrontements de 1855 à 1858 (la « Troisième Guerre séminole »), que Billy Bowlegs et les siens se résoudront à prendre le chemin de l'Oklahoma.

Homme-médecine

Mandan

Terme désignant le chaman, personnage central de la vie indienne. Le chaman (mot d'origine sibérienne) est censé détenir le pouvoir de communiquer avec les forces invisibles qui entourent l'homme. C'est une aptitude qui se décèle tôt chez l'enfant ou l'adolescent (exceptionnellement chez une fille).

103

Sioux

de soigner les malades. Les Indiens pensaient que les maladies étaient une punition ou une agression des puissances maléfiques. Soigner consistait donc à vaincre les démons. Le chaman disposait, pour mener à bien son action, d'un arsenal hétéroclite de produits et d'objets (pierres magiques, tambours et crécelles, herbes, pilules, potions, onguents, aiguilles, masques, éventail de plumes, peaux de serpents ou de petits mammifères, têtes d'oiseaux…) ; le tout est contenu dans une *medicine-chest* (coffre à médecine), cadeau de son initiateur ou de la société à laquelle il appartient. Ainsi équipé, il tentera

Formé par un ou plusieurs chamans confirmés, il accède ensuite à sa fonction, ce qui lui impose un mode de vie difficile, en marge de la tribu. Car si le chaman est un personnage important, disposant de prestige et d'influence (il est considéré comme le deuxième personnage de la tribu), son sort est peu enviable : souvent interdit de mariage, il vit seul, redouté, à l'écart des autres, soumettant son corps à diverses épreuves de purification (sudations, jeûnes, purges…) et à de multiples violences (coupures et perforations avec des pierres coupantes et des épines). L'une des tâches du chaman est

Blackfoot

104

de chasser les mauvais esprits du corps du malade… et pendant des heures ou des jours, il danse, psalmodie, passant lui-même par des phases de transes et de convulsions.

Les interventions sont parfois couronnées de succès, car la confiance accordée aux pouvoirs du chaman peut, tel un placebo, apporter la guérison. Le chaman est remercié par des cadeaux. Le chaman avait également pour mission de discerner les bons et les mauvais présages délivrés par les ESPRITS et dont dépendaient parfois de graves décisions et le sort de la tribu. Tâche difficile qui laissait davantage de place à l'imagination qu'à la divination et dont nul ne peut dire aujourd'hui si les chamans s'acquittèrent avec succès.

Hopewell

Peuple d'origine inconnue, qui occupa un vaste territoire, des Grands Lacs au nord à l'embouchure du Mississippi au sud, de 100 av. J.-C. à 350 de notre ère. Habiles potiers, ils sculptaient le bois et travaillaient le cuivre, la pierre et les coquillages. Ils cultivaient le maïs et construisaient d'imposants tertres où les morts reposaient entourés de leurs bijoux. Les Hopewell formaient une société prospère et organisée, commerçant avec d'autres régions au nord et à l'ouest.

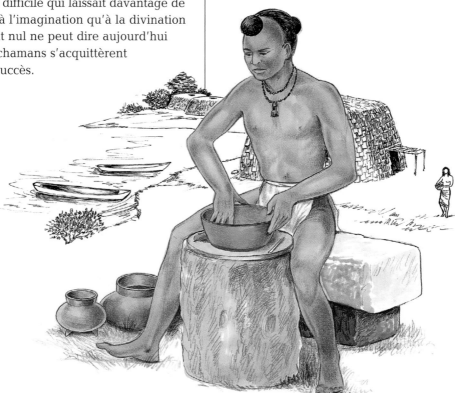

(culte KACHINA, danse du Serpent…).
Leur artisanat était particulièrement
remarquable.

• La société hopi était matrilinéaire :
la succession et le statut social se
faisaient par la mère. Les FEMMES
possédaient les champs mais seuls
les hommes pouvaient y travailler.

• Solidaires des autres peuples Pueblos
contre l'envahisseur espagnol, les Hopis
furent aussi en lutte incessante contre
les NAVAJOS. Malgré l'emprise espagnole,
ils restèrent réfractaires au catholicisme
et demeurent attachés à leur culture
ancestrale.

• Leur nombre était estimé à 2 800
en 1680. Ils seraient plus de 9 000
à ce jour dans la réserve Hopi de Black
Mesa (Arizona).

Hopis

• Contraction de *Hopitu* :
« Ceux qui sont pacifiques. »
• Langue : shoshonean, de la famille
uto-aztèque.
• Établis au nord-est de l'Arizona.
• Occupaient de véritables maisons
en adobe vers le XIIe siècle, fondant
des cités comme Oraibi et Mesa Verde.
• Cultivateurs (maïs, courges, haricots,
coton, TABAC) en dépit d'une terre aride.
Les Hopis pratiquaient l'irrigation
sur des cultures en terrasses.
Ils développèrent une riche
et complexe organisation
religieuse et culturelle

Houmas

- Leur nom signifierait « rouge ».
- Langue : muskogean.
- Établis dans les bayous de Louisiane, à l'est de l'embouchure du Mississippi et près des sources de la Rivière rouge (Red River).
- Paisibles agriculteurs, ils avaient développé musique, danse et activités sportives. L'écrevisse aux pinces dressées était l'emblème de guerre des Houmas et la plume d'aigle leur emblème de paix.
- Visités par Cavelier de La Salle puis Iberville, les Houmas furent en contact permanent avec les Français et ils restent influencés par la culture « cajun ». Environ 15 000 aujourd'hui, ils ont formé la Nation Unie houma, avec un conseil tribal reconnu par l'État de Louisiane.

Hunkpapas

Leur nom pourrait signifier : « Ceux qui campent à part » ou « Aux limites du cercle ». Subdivision des Sioux Tétons. Leurs représentants les plus célèbres furent, à la fin du XIXᵉ siècle, les chefs BIG FOOT (Grand Pied) et SITTING BULL (Taureau assis).

Hupas

- Corruption par les Yuroks du nom de la vallée Hoopa occupée par cette tribu de Californie.
- Langue : athabascan.
- Vallées de la Trinity et la New River, et cours inférieur de la Klamath (Hoopa Valley).
- Leurs villages rassemblaient de petites maisons en bois de thuya ou de CÈDRE, disposées autour de la loge à sudation. Les femmes étaient habiles vannières et les hommes adroits sculpteurs du bois. Basée sur la richesse des individus, la société hupa était régie par une codification complexe : les différents conflits étaient réglés par voie de compromis et de dédommagements.
- Isolés dans les vallées, ils ne furent que tardivement en contact avec les Blancs (vers 1850). Soucieux d'éviter

leur perte, le gouvernement américain leur aménagea une réserve dès 1864.
• Estimée à 1 000 au milieu du XIXᵉ siècle, leur population aurait doublé aujourd'hui.

Hurons

• Eux-mêmes s'appelaient *Wendat*, « Peuple de la péninsule ». Formes voisines : *Guyandot* ou *Wyandot*. Les compagnons de Cʜᴀᴍᴘʟᴀɪɴ les baptisèrent Hurons à cause de leur coiffure en forme de hure de sanglier.
• Langue : iroquoian.
• Établis entre les lacs Huron et Ontario.
• Cultivateurs (maïs, fèves, tournesol), pêcheurs et chasseurs. Ils faisaient commerce de fourrures et de tabac.
• Villages installés à proximité d'un lac ou d'une rivière. Longues maisons en écorce d'orme.
• Divisés en quatre clans (Rocher, Corde, Ours et Cerf), ils étaient organisés en confédération. Pour partie convertis au christianisme par des missionnaires,

les Hurons s'allièrent aux Français. Aux côtés des Anglais et des Hollandais, leurs ennemis Iʀᴏǫᴜᴏɪs en tirèrent prétexte pour les anéantir presque en totalité (1648).
• Des descendants vivent aujourd'hui dans la réserve Wyandot (Oklahoma). Une autre communauté existe à Lorette (Québec).

Husk Face Society

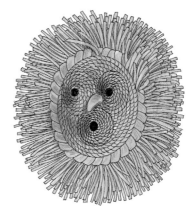

Chez les Iroquois, cette « Société des Visages Feuilles-de-Maïs » avait pour vocation de protéger l'agriculture, de prédire l'abondance des récoltes ou de favoriser la venue de nombreux enfants. Ses rituels se déroulaient au milieu de l'hiver : les hommes de la sᴏᴄɪᴇᴛᴇ se rendaient en dansant de maison en maison pour y balayer les cendres du foyer. Tous portaient des masques constitués de feuilles de maïs assemblées en forme de visage.

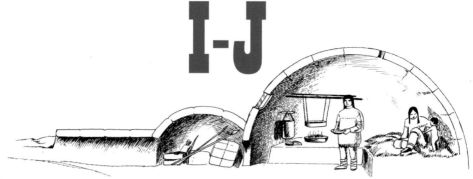

I-J

Igloo

Abri que les Inuits construisent
pour résister au froid et aux tempêtes
de neige de l'hiver polaire. Fait de
blocs de glace disposés en spirale
ascendante, l'igloo est ventilé par un
petit trou percé dans le toit et recouvert
d'un morceau de peau de phoque.

Illinois

• Déformation française de leur
nom indien, *Iliniwek* : « Homme ».
• Langue : algonquian.
• Peuplaient le nord de l'État actuel de
l'Illinois, auquel ils ont donné leur nom.
• Chasseurs de bisons, semi-nomades,
ils constituaient une confédération de
tribus : Peorias, Kaskaskias, Tamaroas,
Cahokias, Michigameas, Moingwenas…
• Alliés aux Français, ils furent écrasés
par les Iroquois en 1684. Le grand
chef ottawa Pontiac fut tué par un
des leurs en 1769. En représailles,
les Kickapoos lancèrent une campagne
d'extermination : il ne restera que
quelques centaines de survivants
Illinois.

• Après la vente de leurs terres,
s'exilèrent au Kansas. En 1854,
un traité regroupa dans une réserve
de l'Oklahoma les Peorias, Kaskaskias
et les tribus Miamis, Weas
et Piankashaws.
• Environ
10 000 en 1680,
les Illinois
disparurent
presque (180
en 1937).
Ils seraient
près de
2 000
aujourd'hui.

109

Indian Reorganization Act

Réforme lancée en 1934 par
John Collier, chargé des affaires
indiennes par le président des
États-Unis, Franklin D. Roosevelt.
Il s'agissait de mettre un terme au
pillage des RÉSERVES et à la spoliation
des terres. Des implantations
industrielles furent encouragées
sur les réserves, et des ÉCOLES
et des centres de soins ouverts.

Indian Rights Association

Association fondée en 1882 par
John Welch. Militant pour les droits
des peuples indiens, elle participa
à la mobilisation des élites de l'Est,
suite aux massacres commis contre les
Cheyennes (1878) et les Poncas (1879).

Inglakis

• Nom donné par les Inuits qui
les avaient supplantés sur le littoral
de l'Alaska et qui signifiait : « Ils
ont des poux. » Les Russes donnaient
ce même nom à tous les Athabascans
de l'Alaska. Leur vrai nom était
Kaiyukhotana.
• Langue : athabascan.
• Cours inférieur des rivières Yukon
et Kuskokwin.
• Seuls des recensements postérieurs
au XIXe siècle peuvent être considérés
comme fiables… mais ils incluent
tous les Athabascans de la région
(Ahtena, Koyukon ; Kutchin ; Tanana,
Tanaina…) : 4 935 individus en 1930.

Inuits

• « Hommes » dans leur langue.
• Langue : eskimo-aleut.
• On peut distinguer trois zones
principales dans le monde inuit qui
s'étend sur plus de 7 000 kilomètres
d'ouest en est :
- à l'ouest, tout le littoral de l'Alaska,
des îles Aléoutiennes à l'embouchure
du Mackenzie. Les Aléoutes, les plus
au sud, construisaient leurs habitations
avec du bois et des ossements de
cétacés ; les plus septentrionaux
vivaient dans des abris à demi
enterrés recouverts de terre.

Copper

Mackenzie

- à l'extrémité orientale, le Groenland, les Inuits vivaient dans des constructions en pierre et chassaient les baleines dans le détroit de Davis. Ils furent dès le Xe siècle en contact avec les VIKINGS ; de ce rapprochement naquit un fructueux commerce de peaux, de fourrures et d'ivoire entre le Groenland et l'Europe du Nord.
- la région centrale, du Mackenzie aux rives nord du Labrador, englobant les îles et les territoires autour de la partie septentrionale de la baie d'Hudson. Dans ces espaces, les Inuits ont dû affronter les rigueurs d'une nature hostile et mener un incessant combat pour leur survie dans les immensités de glace balayées par les vents polaires.
• Les Inuits se déplaçaient en bandes de 40 à 50 individus, soit 10 à 15 chasseurs. Ils n'avaient pas de chef mais, pour les opérations de CHASSE, un responsable, le plus expérimenté, était souvent désigné. Le seul à détenir une parcelle de pouvoir était le chaman. Chasseur, père de famille comme les autres membres de la communauté, il était capable d'entrer en relation avec les ESPRITS et possédait le don de soigner, voire de guérir.

Groenland

Baffin

111

Iowas

- Du dakota *Ayuhwa* : « Ceux qui dorment. » Peut aussi venir de *ai'yuwe*, « courgette ».
- Langue : siouan.
- Selon des négociants français, ils étaient très habiles commerçants et cultivateurs. Évaluaient leurs richesses en peaux de BISONS et en CALUMETS dont ils étaient des sculpteurs réputés.
- Au contact des Français (Marquette en 1674, Le Moyne d'Iberville en 1702). Rencontrés en 1804 par l'expédition de LEWIS et CLARK puis, à plusieurs reprises, par George CATLIN qui peignit quelques splendides portraits de leurs chefs. Peuple pacifique, les Iowas intégrèrent des réserves au Kansas (1836) puis en Oklahoma (1883).
- 1 100 en 1760. En 1990, il y avait 300 Iowas en Oklahoma, 400 au Kansas et 200 au Nebraska.

Iroquoian

voir Langues p.20

Iroquois

- Du terme algonquin *Irinakhoiw* pour désigner les Senecas : « Vrais serpents ».
- Les Iroquois se désignaient eux-mêmes *Hodinonhsioni* : « Peuple de la grande maison ».
- La Ligue des Cinq nations réunissait d'ouest en est :
Les **Senecas**, déformation par les Hollandais et les Anglais de leur nom *Tsonondowaka* (Hommes de la montagne).
Les **Cayugas** (Hommes du bord de l'eau).
Les **Onondagas** (Sur le sommet de la colline).
Les **Oneidas** (Hommes de la pierre debout).

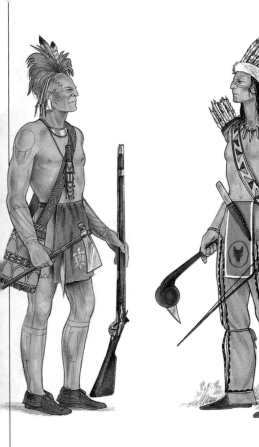

épuisement de la nature alentour. La « longue maison » typique des Iroquois mesurait 20 à 30 mètres de long et abritait jusqu'à vingt familles.

• Agriculteurs sédentaires (maïs, courges et haricots, qu'ils surnommaient les « Trois Sœurs »), remarquables chasseurs et guerriers implacables. Les Iroquois vénéraient un ensemble complexe d'animaux, de plantes et de forces naturelles dominées par le Grand Esprit, ou *Orenda*.

• Les FEMMES iroquoises détenaient tous les biens, en particulier les grandes maisons. Elles assuraient les récoltes et le stockage des réserves dans des silos creusés en terre. Le lignage par les femmes restait la base de l'organisation tribale.

Les **Mohawks** ou « Mangeurs d'hommes ». Ils se nommaient eux-mêmes *Kaniengehaga* (Hommes du pays du silex).

• La Ligue devient la Confédération des six nations en 1722, avec l'arrivée des **Tuscaroras** (Ceux qui récoltent le chanvre).

• Langue : iroquoian.

• Établis sur les rives sud du lac Ontario, dans de grands villages entourés de palissades.

• Le proche environnement était défriché et cultivé. Tous les quinze ou vingt ans, le village se déplaçait après

• Le Grand Conseil réunissait 50 sachems : 8 Senecas, 10 Cayugas, 14 Onondagas, 9 Oneidas et 9 Mohawks. En fait, seuls 8 Mohawks siégeaient, personne ne prenant la place de HIAWATHA, l'inspirateur de la Ligue. Les décisions du Conseil étaient contrôlées par les femmes qui ne se privaient pas, à l'occasion, de manifester leur désaccord, de désavouer un chef ou de le remplacer.

• Jusqu'à la fin du XVIIIe siècle, les Iroquois furent de tous les conflits.

113

Alliés aux Anglais contre les Français, leurs actions furent déterminantes. Sous la conduite de Joseph BRANT, ils restèrent fidèles à leurs alliés contre les *Insurgents* américains (seuls les Oneidas optèrent pour la neutralité). Leurs villages furent détruits en 1779, au terme de leur défaite.
• Regroupés dans plusieurs réserves de l'État de New York. Également dans le Wisconsin (Oneidas), l'Oklahoma (Senecas) et au Canada. Les Iroquois seraient 49 000 selon le recensement de 1990.

Ishi
(vers 1860-1916)

En août 1911, un Indien d'une cinquantaine d'années, dernier représentant de la tribu YAHI, est découvert, vivant seul sur le territoire de sa tribu, près du mont Lassen au nord-est de la Californie. Mobilisant l'attention des scientifiques, Ishi (« Homme » dans sa langue) assimilera plus de 600 mots anglais et fournira nombre de renseignements sur sa langue, ses habitudes de vie et ses techniques de pêche et de chasse. D'un tempérament pacifique, Ishi s'étonna du monde blanc dont il ignorait l'existence et surmonta sa peur de la foule, lui qui n'avait jamais côtoyé plus de 20 à 30 individus au même moment. Ishi, dernier témoin d'un monde disparu, mourut de tuberculose.

Itazipchos

« Sans arc ». Une subdivision des Sioux Tétons.

Jackson
Andrew (1767-1845)

Il participe à la guerre d'Indépendance et, après avoir été sénateur et juge, reprend les armes en 1812. Après plusieurs victoires sur les Indiens SÉMINOLES alliés des Anglais (1818), Jackson défend avec succès la Nouvelle-Orléans. Gouverneur de Floride en 1821, puis à nouveau sénateur, il se présente à la présidence en 1825. Battu par John Quincy Adams, il l'emporte en 1828 et sera réélu en 1832.
Le septième président des États-Unis fut un diplomate énergique ; il réduisit la dette publique et prit d'heureuses décisions en matière de finances.

Jefferson
Thomas (1743-1826)

Grand artisan de l'indépendance américaine, il occupe plusieurs postes importants avant de devenir chef du parti républicain dont le programme comportait l'alliance avec la France. Vice-président en 1797 et devenu troisième président des États-Unis en 1800, il est réélu en 1804 et refuse de se présenter une troisième fois. Bon administrateur, Jefferson, ami et disciple des philosophes français, est le premier à appliquer les principes humanistes du siècle des Lumières. Il décide d'acheter la Louisiane à la France (1803) et se trouve à l'initiative de l'expédition de LEWIS et CLARK qui amorça la colonisation de l'Ouest.

Jeux

Les Indiens étaient joueurs… et parieurs acharnés, au point qu'il était fréquent qu'un individu engage ses objets favoris, parfois son CHEVAL ou même son épouse ! En jouant aux dés (coquilles de noix, glands coupés ou osselets coloriés…), l'Indien n'hésitait pas à chanter pour forcer la chance ou pour affaiblir l'attention de son adversaire ! Mais les plus prisés étaient les jeux d'adresse et de jonglage : Ojibwas et Iroquois pratiquaient le « jeu du serpent dans

la neige », qui consistait à lancer le plus loin possible un long bâton dans une petite tranchée creusée dans la neige. Un autre jeu sollicitait l'adresse des participants : il s'agissait de faire passer une lance dans un petit cerceau roulant sur le sol. Le plus connu était le jeu de « lacrosse », particulièrement dans les nations du Sud-Est, qui se résumait à conquérir par tous les moyens une simple petite balle de cuir… Deux équipes se la disputaient dans un affrontement pouvant atteindre une rare violence.

Johnson

William (1715-1774)

Général d'origine irlandaise dont l'action fut déterminante durant la guerre franco-anglaise. Ayant vécu parmi les Mohawks, il connaissait bien leur langue et avait épousé successivement la fille d'un grand chef puis la sœur de Joseph BRANT. Fort de cette connivence avec les Iroquois, Johnson parvint à en faire des adversaires irréductibles des Français.

Joliet

Louis (1645-1700)

Explorateur né à Québec. En 1672, avec le père jésuite Jacques MARQUETTE, il entreprend un voyage pour trouver le Grand Fleuve dont parlaient les Indiens, en descendre le cours et rejoindre, espéraient-ils,

le Pacifique. Par le lac Michigan, la Green Bay, les rivières Fox et Illinois, Joliet et Marquette rejoignent le Grand Fleuve (c'est-à-dire le MISSISSIPPI) et traversent le centre du continent pour rejoindre, au sud, l'embouchure sur le golfe du Mexique.

Jonc

Matériau de base pour les Indiens du Grand Bassin et de Californie (vannerie, abris, esquif…) à travers deux variétés propre au Nouveau Monde (*Scirpus californicus* et *Scirpus acutus*).

Jules II

(1443-1513)

Pape de 1503 à 1513, organisateur du cinquième concile de Latran. Informé de la façon dont les conquérants espagnols asservissaient les habitants du Nouveau Monde, Jules II proclama en 1512 que les Indiens étaient des enfants d'Adam et Ève et, comme tels, devaient être traités avec humanité et respect.

K

Kachina

À chaque esprit correspondait un masque que les danseurs portaient lors des cérémonies. Afin de permettre aux ENFANTS de mémoriser chaque esprit et de se familiariser avec leur culte, on fabriquait pour eux des poupées de bois et de tissu à l'effigie des kachinas. Les missionnaires tentèrent d'interdire la production de tels objets, jugés païens, mais les Hopis continuèrent à les fabriquer en secret.

Kainah

voir Blackfeet.

Kalapooyas

- Signification inconnue.
- Dialecte kalapooian commun aux bandes et aux tribus de la région (Ahantchuyuk, Atfalati, Chelamela, Chepenafa, Luckiamute, Santiam, Yamel, Yoncalla…).
- Cours de la rivière Willamette (actuel Oregon).
- Pour l'ensemble du groupe kalapooian : 3 000 en 1780, 130 en 1905.

Pour les Indiens du Sud-Ouest, particulièrement HOPIS et ZUNIS, ce terme désignait les différents esprits et forces invisibles qui nourrissent et protègent les humains. Ils pouvaient aider la tribu à obtenir de bonnes récoltes, éloigner la guerre, faire tomber la pluie… Les kachinas sortaient de terre entre le solstice d'hiver et le solstice d'été, puis retournaient dans le « monde-du-dessous ».

Kalispels

• De *camas*. Appelés aussi « Pend-Oreilles » pour leur habitude d'orner leurs oreilles de grands coquillages.
• Langue : salishan.
• Extrême nord-ouest de l'État actuel du Wyoming (lac Pend-Oreille et cours inférieur de la rivière Clark's Fork).
• Chassés de leurs terres par la construction du chemin de fer (1883) et la découverte de mines d'étain.
• 1 200 en 1780, 200 aujourd'hui dans une réserve de l'État de Washington, proche de celle des Spokanes.

Kane

Paul (1810-1871)

Artiste peintre canadien, il débute sa carrière comme décorateur. Très impressionné par le travail de George Catlin, il part à son tour explorer le Nord-Ouest canadien (1845) pour peindre des scènes du même genre. Après quatre ans de voyage en canot et en traîneau à chiens, il revient avec 700 dessins concernant quelque 80 tribus. À Toronto, il termine ses peintures et écrit une relation de son voyage, *Parmi les Indiens d'Amérique du Nord*, publiée en 1859.

Kansas

• Appelés aussi *Kaw* : « Vent du Sud ».
• Langue : siouan.
• Établis dans l'est de l'État qui porte maintenant leur nom, ils observaient un mode de vie semi-nomade identique aux autres tribus Dhegihas.

• Portaient une grande attention à la vie spirituelle. Les rites de puberté comportaient, pour les garçons, l'expérience de rêves et de visions déterminants pour leur avenir. Les cérémonies mortuaires étaient longues et soigneusement codifiées.
• Les Kansas furent sans doute en contact avec Coronado dès 1541. Marquette les rencontra en 1673. Assignés dans une réserve à Topeka (Kansas) en 1846, leur espace fut progressivement repris par le gouvernement fédéral. Ils furent

Kansas

ensuite déplacés vers l'Oklahoma dans une nouvelle réserve proche de celle des Osages.
• 3 000 en 1780, 543 en 1985 (en Oklahoma).

Karankawas

• Groupe de plusieurs tribus partageant le même dialecte et localisées sur la côte du golfe du Mexique (État du Texas) entre les villes de Galveston et Corpus Christi.
• Leurs petites communautés furent à plusieurs reprises en contact avec les Blancs aux XVIe et XVIIe siècles : elles recueillirent Nuñez Cabeza de Vaca, furent visitées par Cavelier de La Salle et par les Espagnols. Selon leurs voisins, les Karankawas s'adonnaient volontiers au cannibalisme.
• 2 800 en 1690, ils disparurent aux siècles suivants.

Karoks

• Probablement de *karuk*, signifiant « en amont ».
• Langue : hokan.
• Cours moyen de la rivière Klamath.
• Chasseurs et pêcheurs, leur histoire est proche de celle des Yuroks, dont ils partagèrent la réserve.
• 1 500 en 1770.
Seraient environ 2 000 de nos jours.

Kaskas

voir Nahanes

Kaskaskias

voir Illinois

Kawchottines

• Leur nom signifiait « Peuple des grands lièvres ».
• Langue : athabascan.
• Ouest et nord du Grand Lac de l'Ours (territoires du Nord canadien).
• 750 en 1670, 467 en 1858.

Kayak

voir Bateaux

Karok

Keokuk
(1780-1848)

Ce chef SAUK soutient la jeune nation américaine lors de la guerre de 1812 contre les anglais. D'un grand courage et d'un grand sens politique, il s'oppose en 1832 à la guerre menée par BLACK HAWK. À la différence de celui-ci, il comprend que son peuple doit abandonner sa terre natale (Illinois) pour des régions moins convoitées (l'actuel Iowa). Une ville de cet État porte aujourd'hui son nom.

Kickapoos

• De *Kiwegapan*, signifiant : « Il se tient par là. » Les Indiens des Plaines les nommaient « Mangeurs de cerfs » et les Hurons *Ontarahronon*, « Peuple du lac ».
• Langue : algonquian.
• Installés au sud de la rive occidentale du lac Michigan.

• Guerriers redoutables, ils avaient la réputation d'être « beaux, fiers et très indépendants ». Étaient divisés en clans (Aigle, Ours, Renard, Eau, Tonnerre…)
• Marquette et Joliet les rencontrèrent en 1672. Les Kickapoos furent de la révolte de PONTIAC (1763), de la victoire de la Maumee sur les Américains (1790), puis de la révolte de TECUMSEH. Prirent une part importante dans l'insurrection menée par le chef des Sauks, BLACK HAWK (1832). Exilés dans le Sud, ils s'installèrent au Texas avec les Delawares et les Cherokees.

Kickapoos

Alliés des Mexicains dans leur tentative de reconquête du Texas (1839).
Une partie des Kickapoos s'exila au Mexique pour protéger la frontière des incursions apaches et comanches.
• Réserve pour les Kickapoos mexicains en Oklahoma (700 individus), ainsi qu'au Kansas (environ 2 000).

Kiowas

• De leur propre nom *Ka-i-g*wy : « Peuple dominateur ».
• Langue : kiowan (isolat linguistique caractérisé par des sons étouffés).

Kiowa

• Au milieu du XVIIIe siècle, occupaient un territoire recoupé par les États de l'Oklahoma, du Kansas, du Colorado et du Texas.
• Chasseurs de bisons nomades, excellents cavaliers, ils étaient sombres d'expression et lourdement bâtis.
La tribu Kiowa est la seule à avoir tenu une chronique de son histoire à base de PICTOGRAMMES peints sur des peaux (de 1832 à 1892).
• Avant le XVIIIe siècle, les Kiowas occupaient un territoire situé dans le Montana sur le cours de la rivière Yellowstone (d'où leurs liens très amicaux avec les Crows). Dès qu'ils eurent des chevaux à disposition, ils migrèrent vers le sud en chassant le bison. En 1804, Lewis et Clark les situaient sur la rivière North Platte. En atteignant l'Oklahoma, ils firent alliance avec leurs anciens ennemis Comanches. Considérés comme les plus agressifs des Indiens des Plaines, bien armés et bien organisés, ils furent d'irréductibles adversaires pour les colons américains.
• 2 000 en 1780. 9 400 en 1990 dans l'Oklahoma. Un Grand Conseil kiowa dirige toujours la tribu.

Kiowa-Apaches

• Nom désignant une tribu d'origine et de langue athabascanes intégrée à la communauté kiowa, sans doute depuis le XVIIIe siècle.
• Eux-mêmes s'appelaient *Nadinshadina*, « Notre peuple ».

121

Ils étaient les *Gattackas* pour les Français et les Pawnees, les *Taguis* pour les Kiowas, les *Kaskias*, « Mauvais cœurs », ou les Apaches des prairies pour d'autres.
• Même localisation que les Kiowas.
• 300 en 1784, 184 en 1930.

Kiowan

voir Langues p. 21

Kiva

Partiellement souterraine, la kiva était lieu de prière et chambre du Conseil pour les Hopis et les Zunis. Elle était suffisamment vaste pour contenir les membres des différents clans. Une petite ouverture pratiquée dans le sol représentait le chemin emprunté par les hommes pour parvenir à la surface de la terre, lors de la création. Plus vaste, l'ouverture percée dans le toit symbolisait l'accès au monde actuel. Elle accueillait aussi l'échelle grâce à laquelle on pouvait pénétrer dans la kiva.

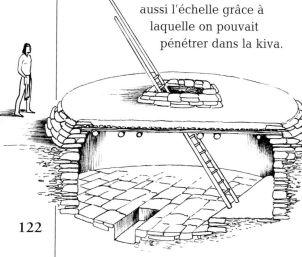

122

Klallams

• De *Clallam* signifiant « Peuple puissant ».
• Langue : salishan.
• Extrémité sud de l'île de Vancouver et rive sud du détroit de Juan de Fuca.
• 2 000 en 1780 et 764 en 1937.

Klamaths

• Nom d'origine inconnue employé par les autres tribus proches du fleuve Columbia. Eux-mêmes s'appelaient *Maklak*, « Peuple », ou *Eukshikni maklak*, « Peuple des lacs ».
• Dialecte : lutuamian, partagé avec les Modocs.
• Proximité nord du lac Klamath (au sud de l'Oregon) et bassins des rivières Williamson et Sprague.
• Vivaient de chasse (daims, oiseaux) et de cueillette (baies sauvages, pignons). Menèrent des raids après 1849 contre

les mineurs, mais furent soumis dès la fin de la guerre de Sécession.
• 800 en 1780. Environ 3 500 en 1990. Les Klamaths forment une communauté très prospère depuis leur regroupement avec les Modocs et les Yahooskins.

Klikikats

• D'un terme chinook signifiant « au-delà » (des chutes de la rivière Columbia).
• Langue : sahahptian.
• Cours inférieur de la rivière Columbia, limite entre les États de Washington et de l'Oregon.
• Les Klikikats se distinguaient par une aptitude aux échanges commerciaux sur l'axe de la rivière Columbia, entre les tribus de la côte et celles de l'intérieur. Les femmes étaient expertes en VANNERIE (grands paniers décorés de motifs géométriques).
• 600 en 1780, 405 en 1910.

Klondike

Affluent du Yukon, dans l'actuel État de l'Alaska. La zone de confluent était habitée par les Tutchones. La région fut célèbre par la découverte de l'OR, le 17 août 1896, dans le ruisseau de Rabbit Creek. Un événement qui provoqua la ruée de dizaines de milliers d'aventuriers, l'apparition de villes-champignons telle Dawson (40 000 habitants au plus fort de la ruée)… et la ruine, voire la disparition des Indiens qui vivaient là.

Kootenaïs

• Corruption d'un de leurs noms, *Kutonaga*, par leurs ennemis Blackfeet. Les Nez-Percés et les Salishs les appelaient « Hommes de l'eau ».
• Isolat linguistique.
• Sud-est de la Colombie-Britannique, nord-ouest du Montana et nord-est du Washington.
• Ennemis des Blackfeet, leurs relations avec les Blancs furent assez cordiales.
• Estimée à 1 200 en 1780, leur population occupe aujourd'hui, pour partie, une réserve au Canada (549 en 1967) et, pour partie, dans l'Idaho (123 en 1985).

Kootenaï

123

Koyukons

- Contraction de *Koyukukhotana*, « Peuple de la rivière ».
- Langue : athabascan.
- Cours de la rivière Koyukuk, affluent du Yukon à l'ouest de l'Alaska.
- 1 500 en 1740, 940 en 1890.

Kutchins

- Étymologiquement : « Peuple ». Appelés aussi « Loucheux ».
- Langue : athabascan.
- Région comprise entre la haute vallée du Yukon et l'embouchure de la rivière Mackenzie (Alaska).

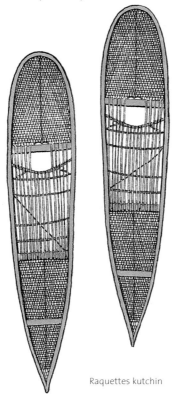

Raquettes kutchin

- Très hospitaliers, ils avaient malgré tout la réputation d'être plus agressifs que les autres Athabascans. Grands chasseurs de caribous, pêcheurs en rivière et en lac, et piégeurs d'animaux à fourrure.
- Les Kutchins étaient, en fait, un groupe de tribus ayant chacune leur territoire : Kutcha, Dihai, Tennuth, Takkuth, Tatlit…
- Alexandre MACKENZIE les rencontra en 1789. Leurs relations avec le monde blanc s'établirent ensuite par le biais de la Compagnie de la baie d'Hudson. La découverte de l'OR dans la vallée du Klondike (1896) bouleversa leur vie nomade et libre.
- Population évaluée à 1 200 individus en 1936.

Kwakiutls

- Deux significations possibles :
« Fumée du monde » ou, plus sûrement,
« Rivage au nord de la rivière ».
- Langue : wakashan (seconde
division avec les Bella Bellas).
- Occupaient les rives du détroit
de la Reine-Charlotte et le nord
de l'île de Vancouver.

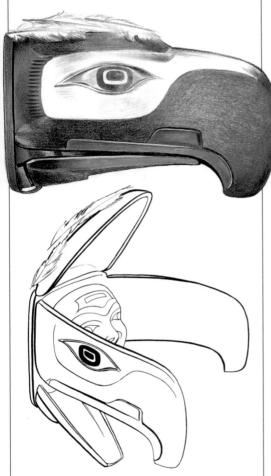

Masque kwakiutl
transformable

- Navigateurs réputés, chasseurs
de CERFS et de CARIBOUS, les Kwakiutls
étaient avant tout pêcheurs.
Ils excellaient à piéger les saumons
qui remontaient les rivières chaque
année, utilisant filets, harpons,
épuisettes et des grilles d'osier fixées
au sommet des chutes.
- Vivaient dans de grandes maisons
en bois de cèdre qui abritaient
plusieurs familles. Confectionnaient
vêtements et nattes en mélangeant
de l'écorce intérieure de cèdre rouge
à des peaux et des fourrures.
- Après le passage de Bodega
(1775), ils surent accueillir
explorateurs et
négociants, qu'ils
fournissaient en
fourrures et peaux
de loutre. Parvinrent
à préserver leur
culture malgré
les efforts des
missionnaires.
- 8 000 au
milieu du
XIXe siècle,
ils sont
environ
4 000 en
1990.

Lacrosse

voir Jeux

Lakes

• Peuplades ainsi surnommées ainsi parce que installées sur le cours de la Columbia quand elle traverse les lacs Arrows près de l'actuelle frontière entre USA et Canada (côté canadien). Leur vrai nom était les *Senijextees* (signification inconnue).
• Langue : salishan.
• 500 en 1780, 785 en 1910.

Lakotas

voir Dakotas

Lances

Sans doute l'ARME la plus ancienne, la lance complète l'arsenal offensif des guerriers indiens ; d'abord pourvue d'une pointe en os ou en pierre taillée, c'est une arme de jet identique au javelot européen. D'une longueur de deux mètres environ, la lance, à l'inverse du TOMAWAK, est plus utilisée pour la chasse que pour le combat guerrier. Avec l'apparition du CHEVAL

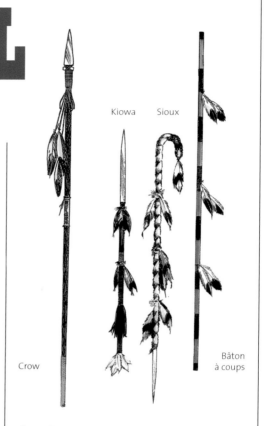

Kiowa Sioux

Crow

Bâton à coups

dans l'univers des Indiens, elle est adoptée par les cavaliers et atteint trois mètres de long ; la pointe est en fer, constituée par des armes blanches dérobées aux Blancs (couteaux, sabres...). La lance est fréquemment ornée de PLUMES, de morceaux d'étoffe, de cuir ou de fourrure.
Chez les Sioux, la *crooked lance*, sorte de grande canne à bout pointu, était davantage la marque d'une dignité qu'une arme destinée au combat... mais nécessité faisant loi, elle servait aussi à porter des COUPS aux ennemis.

Lapins

Gibier abondant pour les Indiens dans tout le territoire actuel des USA. On en recense trois espèces : le cottontail *(Sylvilagus floridanus)*, le plus petit, dans la moitié est, le « jack » à queue blanche *(Lepus townsendii)* au nord-ouest et le « jack » à queue noire *(Lepus californicus)* au sud-ouest.

Las Casas
Bartolomé de (1474-1566)

Prélat espagnol, fils d'un compagnon de Christophe Colomb, il voua sa vie à plaider la cause des Indiens réduits en esclavage par les Espagnols dans leurs *encomiendas*. De l'île de Haïti, il traversa douze fois l'océan pour la cour de Madrid, afin d'y défendre ses protégés en prônant de nouvelles lois plus humaines (1542). Charles Quint et Philippe II le nommèrent « protecteur universel de tous les Indiens ».

On doit à Las Casas une *Très brève relation de la destruction des Indes*, où il dénonce les atrocités commises par les conquistadors. Si ses propos trouvèrent peu d'écho auprès des colons, les autorités de l'Église furent plus attentives et le pape PAUL III intervint en faveur des Indiens (1537).

Laudonnière
René de (mort en 1572)

Il est chargé par l'amiral de Coligny de fonder en Floride une colonie pour les protestants persécutés (1562). Il construit Fort Caroline sur la rivière St John. Privé de l'appui des Indiens Timucuas par des décisions malheureuses, Laudonnière et ses compagnons sont attaqués par les Espagnols le 20 septembre 1565. Laudonnière parvint à s'échapper et sera vengé par l'expédition de Dominique de Gourgues en 1568.

La Vérendrye
Pierre Gaultier de (1685-1749)

Explorateur canadien-français, né à Trois-Rivières. Associant le négoce des fourrures à la découverte de nouvelles régions, il mène avec ses fils plusieurs expéditions vers le lac Winnipeg puis vers le haut Missouri et les villages mandans. Ses fils poursuivront l'exploration en poussant jusqu'aux BLACK HILLS.

Lewis
Meriwether (1774-1809)

Capitaine dans l'armée américaine puis secrétaire particulier du président JEFFERSON, il rejoint William CLARK à St Louis (1804) pour une expédition visant à trouver le meilleur chemin pour franchir les Rocheuses et atteindre le Pacifique. Il souhaite aussi nouer, au passage, des liens cordiaux avec les tribus indiennes de rencontre. Forte d'une cinquantaine d'hommes, l'expédition guidée par une Shoshone, SACAJAWEA (« la Femme oiseau »), et le trappeur Toussaint Charbonneau reconnaît de nouveaux territoires totalement vierges. Après deux ans et cinq mois de périple à pied, à cheval ou en canot, plus de 15 000 kilomètres parcourus dans la souffrance et l'émerveillement, l'expédition de Lewis et Clark revient vers l'est sans avoir tiré un coup de feu contre des Indiens. Elle ne déplore qu'un mort, d'une crise d'appendicite…

Lilloets

- Nom signifiant « oignon sauvage ».
- Langue : salishan.
- Ils vivaient dans la zone limitée à l'est par la rivière Bridge et le lac Anderson, à l'ouest par la rivière Lilloet en Colombie-Britannique.
- Furent particulièrement frappés par l'épidémie de variole de 1863. 4 000 en 1780, 1 600 en 1904, 2 300 en 1967.

Lion des montagnes

C'est ainsi que les Nord-Américains appellent ce carnassier *(Felis concolor)*, plus connu sous les noms de couguar, ou puma en Amérique du Sud. C'est le plus grand des félins nord-américains. S'il chasse de préférence les cervidés, il ne dédaigne pas d'autres proies : castors, rongeurs, lièvres, oiseaux et même coyotes. Excellent grimpeur, capable de bonds impressionnants, le lion des montagnes est, comme tant d'autres félins, menacé aujourd'hui d'extinction.

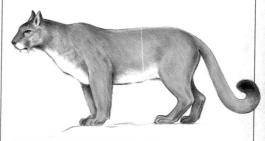

Little Big Horn

La rivière Little Big Horn est un affluent de la Big Horn qui, elle-même, se jette dans la Yellowstone au sud-est de l'État actuel du Montana. C'est dans sa vallée que se déroula, le 25 juin 1876, la célèbre bataille opposant le 7e régiment de cavalerie du général CUSTER à plusieurs milliers de guerriers Sioux, Cheyennes et Arapahos. La déroute des « tuniques bleues » et la mort de Custer suscitèrent une émotion considérable aux États-Unis. Date glorieuse pour

La vallée de la Yellowstone (Wyoming).

les peuples Indiens, Little Big Horn
allait représenter le début de leur fin,
les Américains n'ayant de cesse
qu'ils ne vengent cet affront.

Little Crow
(1820-1863)

Chef Sioux (peuple Santee). Excédé
par les promesses non tenues des colons
et commerçants blancs, il fomente en
août 1862 une révolte dans le Minnesota.
« Petit Corbeau » reproche aussi au
gouvernement d'affamer sciemment
son peuple en retenant les denrées
alimentaires promises en contrepartie de
la vente de leurs terres. Après plusieurs
raids particulièrement sanglants, Little
Crow est abattu traîtreusement d'un
coup de fusil dans le dos.

Little Turtle
(1752-1812)

Chef MIAMI d'une bravoure et
d'une intelligence exceptionnelles,
« Petite Tortue » œuvra pour que
s'établisse sur la rivière Ohio une ligne
de partage entre Indiens et Blancs.
À la tête de guerriers Miamis,
Shawnees et Potawatomis, il sortit
vainqueur de plusieurs affrontements,
dont la bataille de la Wabash contre
les Américains du général Saint Clair,
le 4 novembre 1791.

Little Wolf
(1820-1904)

Chef CHEYENNE, « Petit Loup »
se signale par deux initiatives peu
ordinaires. En 1874, il se rend à
Washington, rencontre le président
Ulysse GRANT et lui propose d'accueillir
1 000 femmes blanches dans sa tribu

afin de faciliter l'intégration des Indiens à la nation américaine. En 1878, il obtient pour les Cheyennes du Nord une réserve, non dans l'Oklahoma sec et aride, mais dans leur pays au Montana. À la tête d'un groupe de 400 personnes, dans le froid et la neige, Little Wolf entreprend une « longue marche » de près de 5 000 kilomètres.

La loge était un dôme de peaux tendues sur une structure de perches de saule. À l'intérieur, un trou recevait des pierres brûlantes sur lesquelles de l'eau était versée afin d'obtenir de la vapeur très chaude. Après une demi-heure, ou plus, dans cette atmosphère, l'Indien allait plonger dans la rivière proche et se frictionnait avec des herbes. La pratique de la sudation faisait partie des moyens aptes à vaincre la maladie ou à s'absorber dans une profonde méditation. Quelques initiés venaient y chercher des VISIONS, source d'explication à l'ordre de l'univers ou aide indispensable avant la prise d'une grande décision.

Loge à sudation

La loge à transpirer (*Onikaghe*, c'est-à-dire renouveau de vie) est un élément majeur de la vie indienne. C'est là que l'Indien vient se purifier avant une cérémonie ou à l'heure de partir en guerre. Mais l'usage peut aussi être très fréquent, voire quotidien, sans autre but qu'un souci d'hygiène : c'était le cas pour les Kiowas, Arapahos ou Cheyennes.

Loup

Le loup *(Canis lupus)* peuplait tout le nord du continent. Animal intelligent et grégaire, il vivait et chassait en meutes

131

de cinq à sept, parfois quinze individus. Bien que prédateur concurrent du chasseur indien, le loup était un animal tabou pour la plupart des Athabascans, en particulier pour les Chipewyans qui l'assimilaient au chien, lui-même frère de l'homme.

Loutre

La loutre de mer *(Enhydra lutris)* peut nager à vive allure en restant quatre à cinq minutes sous l'eau. Elle se nourrit de coquillages, crabes, oursins et petits poissons. Elle confectionne une litière d'algues pour dormir et se réfugie à terre en cas de danger (approche d'orques ou de requins, tempêtes…). Les tribus du Nord-Ouest excellaient dans la capture des loutres et le traitement de leurs peaux, dont elles faisaient commerce avec les Blancs.

Luiseños

• Nom issu de la mission de San Luis Rey de Francia. Également appelés Ghechams ou Khechams.
• Langue : shoshonean.
• Sud-ouest de l'État de Californie.
• 4 000 en 1770, 1 150 en 1885, 2 700 en 1985.

Lynx

Son habitat naturel était toutes les forêts profondes du Canada actuel. Il est excellent nageur et la densité de l'effectif de l'espèce atteint un point culminant tous les dix ans… suivant un cycle identique à celui de sa proie préférée, le lièvre variable *(Lepus americanus)*, blanc en hiver, brun en été.

Machapungas

• « Mauvaise poussière » ou
« Boueux », sans doute en rapport
avec leur environnement marécageux.
• Langue : algonquian.
• Vivaient aux abords du littoral
atlantique, dans la zone humide
délimitée par l'Albemarle Sound
au nord et le Pamlico Sound au sud
(Caroline du Nord).
• Considérés comme les descendants
des SECOTANS. Ils furent l'un des
rares peuples indiens à pratiquer
la circoncision.
• 1 200 en 1600, une centaine à la fin
du XVIIIe siècle.

Mackenzie
Sir Alexander (1755-1820)

Voyageur écossais qui explora
les régions boréales de l'Amérique
du Nord et atteignit l'océan Arctique
pour le compte de la « Compagnie
des fourrures du Nord-Ouest ».
Parti en 1789 avec une petite troupe
d'Indiens à bord de canots d'écorce,
il découvrit le fleuve qui porte son
nom puis traversa les Rocheuses par
la Columbia en direction du Pacifique
(atteint en 1793).

Mahicans

• Selon certaines interprétations,
leur nom signifie « les Loups ». D'autres
penchent pour « marée », en référence
au mouvement des eaux de l'Hudson.
• Langue : algonquian.
• Établis sur les rives de l'Hudson.
• Agriculteurs, chasseurs et pêcheurs,
leur mode de vie était proche de celui
des Delawares et des Mohegans.

133

• En guerre contre les Mohawks pour le contrôle du commerce des fourrures sur l'Hudson. Dès le début du XVIIIe siècle, l'implantation anglaise les chassa de leurs terres, tandis que la VARIOLE et la tuberculose les frappaient durement. Comme la majorité des Algonquins, ils se rangèrent aux côtés des Français. Certains combattirent sous les ordres du général La Fayette pendant la guerre d'Indépendance.
• Deux groupes mahicans (les Stockbridge-Munsee) occupent une réserve dans le Wisconsin.

Maïdus

• « Personnes », dans leur langue. Comme leurs voisins Païutes, ils furent surnommés *diggers* (« Ceux qui creusent ») par les Blancs parce qu'ils cherchaient des racines pour compléter leur régime à base de baies et de glands.
• Langue : penutian.
• Vivaient sur le cours supérieur des rivières Feather, dans le comté de Plumas (Californie).
• 9 000 en 1770, 93 en 1930, 338 en 1985.

Makahs

• Nom signifiant « Peuple du cap ».
• Langue : wakashan.
• Peuplaient les abords du cap Flattery (aujourd'hui frontière américano-canadienne), face à l'île de Vancouver.
• Vivaient de la cueillette et de la PÊCHE au saumon. Ils chassaient aussi PHOQUES et BALEINES en pleine mer.

• Excellents artisans du bois, que ce soit pour construire leurs immenses maisons, leurs grands mâts totems, leurs canots de mer, leurs harpons…
• Cédèrent leur territoire au gouvernement des USA en 1855. Ils se virent pourtant attribuer sur place une petite réserve en 1893.
• Estimés à 2 000 en 1780, les Makahs sont environ 1 500 aujourd'hui à Neah Bay.

Malécites

• D'après un terme micmac signifiant « Mauvais causeur » pouvant être interprété de plusieurs façons : soit parlant une langue incorrecte (par rapport aux Micmacs), soit « Menteurs ».
• Langue : algonquian.
• Membres de la confédération wabanaki, avec les Micmacs, les Abenakis et les Penobscots.
• Semi-nomades, les Malécites vivaient de CHASSE et de PÊCHE mais cultivaient aussi le maïs. Ils négociaient leurs fourrures avec les Français.
• Occupaient la vallée de la rivière Saint-Jean au sud du Nouveau-Brunswick, avant de s'exiler au Québec.
• 800 en 1600, 712 au Québec en 1995.

Mandans

• Corruption d'un terme dakota : *Mawatani* qui les désignait. Eux-mêmes s'appelaient *Numakaki* : « les Hommes ».
• Langue : siouan.

• Établis au Dakota du Nord, sur les bords du Missouri, entre les confluents des rivières Little Missouri et Heart. Vivaient dans des maisons pouvant abriter une trentaine de personnes.
• Venus des Grands Lacs vers le XIVᵉ siècle, ils furent parmi les premiers Sioux à s'installer dans la Grande Plaine. Visités par LEWIS et CLARK en 1804, puis par les peintres George Catlin et Karl Bodmer en 1832 et 1833. L'épidémie de variole de 1837 les anéantit presque, ne laissant que 128 survivants (23 hommes, 40 femmes et 65 enfants).
• Associaient une vie sédentaire de cultivateurs (maïs) et de chasseurs (BISONS). Ils étaient aussi d'habiles potiers et d'excellents commerçants. Leur position sur le Missouri fit de leurs villages un lieu d'échange entre tribus du Nord et du Sud et, plus tard, entre négociants Blancs et Indiens pour le commerce des fourrures.
• Pratiquaient des rituels et cérémonies complexes, notamment l'*Okeepa* qui mettait en scène la formation de la terre et la création de tous les êtres vivants.
• 3 600 en 1780, 1 600 en 1837 avant l'épidémie, un millier en 1990 dans la réserve de Fort Berthold, autour du lac Sakakawea (Dakota du Nord), avec les Hidatsas et les Arikaras.

Mangus Colorado
(1798-1863)

De l'espagnol *Mangas coloradas* (« Manches rouges »). Son vrai nom était Dasoda-Hae (« Celui qui est assis là »). Soucieux d'unir toutes les tribus de son peuple, ce grand chef APACHE mena une guerre incessante, d'abord contre les Mexicains, puis contre les Américains. À la fin de sa vie, il souhaita voir la paix s'établir, mais fut traîtreusement abattu dans la réserve de San Carlos alors qu'il s'était rendu à une rencontre pour parlementer.

135

Manitou

Déformation du nom indien *Manitto*, qui désignait chez les peuples de langue algonquiane la puissance créatrice et maîtresse de tout ce qui vit sur Terre : le Grand Esprit. Cette puissance qui détenait des pouvoirs magiques était présente, à quelques variantes près, chez tous les Indiens : elle s'appelait Orenda chez les Iroquois, Pokunt pour les Shoshones, Wakanda chez les Sioux, Sulia (Salishs), Naualak (Kwakiutls), Tamanoas (Chinooks), Tirawa (Pawnees), Maheo (Cheyennes)...

Mariage

voir Famille

Marquette

Jacques (1637-1675)

Jésuite français né à Laon. Avec Louis Joliet, il explore en 1673 la rivière Wisconsin. Après quoi, les deux hommes descendent le Mississippi, reconnaissent au passage les confluents du Missouri et de l'Ohio, puis remontent le cours de la rivière Illinois jusqu'à hauteur de Chicago. Leurs rencontres avec les Indiens (Foxes, Peorias, Illinois) sont toujours pacifiques. Le récit de Marquette, *Découverte de quelques pays et nations de l'Amérique septentrionale*, est publié en 1682.

Massachusetts

• « Grande colline ».
• Langue : algonquian.
• Rive de la Massachuset Bay où se trouve la ville actuelle de Boston (entre les villes de Salem, au nord, et Mansfield, au sud).
• Ils furent sans doute visités par John Cabot, puis par le capitaine John Smith en 1614. Vivaient dans de petits villages bien organisés, selon une hiérarchie stricte dominée par le chef, ou *sachem*.
• Cultivaient les fèves et les haricots. Chassaient le daim, pêchaient en rivière.
• 3 000 en 1600. Les épidémies de variole anéantirent 90 % de la population.

Massassoit

(?-1661)

Chef légendaire des Wampanoags. Il passe pour avoir sauvé du désastre les arrivants du *Mayflower* en leur enseignant la culture du maïs ; inconnu des colons anglais. Soucieux de nouer de bonnes relations avec les Pères Pèlerins, il signa avec eux un traité de paix dès 1621.

Mayflower

Le 6 septembre 1620 part de Plymouth le *Mayflower*, bateau qui va conduire en Amérique 102 colons (les Pères Pèlerins ou *Pilgrim Fathers*) appartenant à une secte protestante persécutée en Angleterre. Le *Mayflower* accoste le 21 décembre et les colons, épuisés et souffrant du scorbut, fondent Plymouth dans la baie du cap Cod (Massachusetts). Avant de débarquer, ils rédigent le *Covenant*, la première Constitution américaine.

Médecine

Déformation de l'algonquian *Midewiwin*. Concerne, chez les Indiens, tout ce qui présente un caractère mystérieux ou magique, pour soigner les maux ou pour lire les présages… Il existe une bonne médecine qui porte chance et mauvaise médecine qui attire un sort contraire ! *Voir* Croyances.

Menominees

• Leur nom complet, *Menominiwoks*, signifiait « Hommes du riz sauvage. »
• Langue : algonquian.
• Territoire situé entre les lacs Michigan et Supérieur (État du Wisconsin).
• Pacifiques et sédentaires, ils furent, malgré la différence de langage, alliés des Winnebagos pour contenir leurs dangereux voisins Sauks et Fox.
• Pêcheurs dans les eaux des Grands Lacs, ils cueillaient le riz sauvage et récoltaient le sucre d'érable. Les femmes étaient réputées pour leurs talents de tisserandes. À l'aide de fibres végétales ou de poils

Récolte du riz sauvage

Menominees

de bison, elles confectionnaient sacs et rubans.
• L'explorateur Jean Nicolet les rencontra en 1634. Les Menominees participèrent à la révolte de PONTIAC (1763) puis restèrent à l'écart des conflits. Un régiment Menominee prit part cependant à la guerre de Sécession dans les rangs nordistes.
• Des descendants demeurent aujourd'hui dans la région des Lacs. (3 800 en 1990, réunis dans un gouvernement tribal).

Mesa Verde

Site pueblo découvert en 1888 dans le sud-ouest de l'État du Colorado. Cette véritable ville pouvait abriter plus de 7 000 personnes et fut occupée par les Indiens ANASAZIS du VIe au XIIIe siècle.

Mescaleros
« Peuple du mescal »
voir Apaches

Metacom

Second fils de Massassoit, Metacom (dit aussi Powetacom ou, par dérision, le « Roi Philip ») devient chef des WAMPANOAGS après la mort de son père et de son frère aîné. Pendant plusieurs années, il s'attache à préserver la paix avec les colons de Nouvelle-Angleterre. Cependant, l'intransigeance des Anglais et la perte régulière de leurs terres par les Indiens conduisent à l'affrontement. En 1675-76, la « guerre du roi Philip » ravage les deux camps. L'incendie des villages indiens répond aux raids et aux massacres de Blancs. Le conflit s'achève par la mort de Metacom et la défaite sanglante des tribus alliées (Wampanoags, Narragansetts).

Métis

Le métissage entre Européens et Indiens commença au XVIe siècle, dès l'installation de colons français et anglais au Canada. Le commerce des fourrures amena les trappeurs, surtout d'origine française, à s'immerger dans le monde indien. Il s'ensuivit une population métissée dont l'importance était plus économique que numérique. Le phénomène toucha davantage le Canada que la future Union. Dépendant entièrement du commerce des peaux, les métis (environ 30 000 dans l'Ouest canadien) subirent de plein fouet la disparition du troupeau de bisons et l'installation du *Canadian Pacific Railway*.

En 1885, désireux de sauvegarder leurs intérêts, les métis formèrent un gouvernement provisoire du Saskatchewan sous la conduite de Louis Riel et levèrent une force de 700 hommes, renforcée par des Indiens Crees et Assiniboins. De mars à juillet 1885, les forces régulières canadiennes se heurtèrent aux immigrés qui furent finalement vaincus. Louis Riel se rendit, fut condamné et pendu malgré un mouvement d'opinion en sa faveur. Des peines très lourdes frappèrent les autres insurgés.

Le métissage entre « Blancs » et Indiens aux USA et au Canada reste un phénomène impossible à chiffrer. Les recenseurs ne font aujourd'hui aucune tentative pour évaluer le degré de métissage dans les populations. Important chez les Cherokees, marginal chez les Navajos, il est cependant réel et participe lentement à changer le regard du monde blanc dominant à l'égard des « premiers Américains ».

Miamis

• De l'algonquin-chippewa *Omaugeg*, « Hommes de la péninsule ». Les Blancs les nommaient Twight Wees, de leur nom *Twah twah*.
• Langue : algonquian.
• Semi-nomades, agriculteurs et chasseurs de bisons. Originaires du Wisconsin, ils occupèrent le nord de l'Indiana et de l'Illinois. Constitués en tribus plus ou moins autonomes (Weas, Piankashaws…).

• Après le départ de leurs alliés français, ils suivirent les initiatives de Joseph Brant, Tecumseh et LITTLE TURTLE, lui-même Miami, dans la résistance et la lutte contre la spoliation de leurs terres.
• Leurs descendants occupent une réserve dans l'Oklahoma avec les Peorias.
• 600 en 1990.

Micmacs

• De *Migmak* : « Allié ».
• Langue : algonquian.
• Actuel Nouveau-Brunswick et île du Prince-Édouard.

• Chasseurs semi-nomades, alliés des ABENAKIS.
• Furent sans doute aperçus par John Cabot qui longea la côte en 1497. Jacques Cartier les rencontra dans le golfe du Saint-Laurent en 1534, venant à lui avec des fourrures comme cadeaux de bienvenue… mais il les chassa à coups de canon.
• Alliés des Français, ils retardèrent l'implantation anglaise en Nouvelle-Écosse et au Nouveau-Brunswick, après avoir aidé à l'élimination des Beothuks de Terre-Neuve en 1706.
• Les Micmacs vivent toujours en Nouvelle-Écosse. Ils étaient 8 645 en 1967.

Midewiwin

Mouvement apparu au XVIIe siècle chez les Algonkins des Grands Lacs. Son but était d'éloigner les maladies, de prolonger la vie et de soulager les souffrances. Les pouvoirs attribués à cette « Société de grande médecine » semblaient si vastes que, dans nombre de tribus, tous participaient aux cérémonies. Pour être membre de la SOCIÉTÉ, un songe ou une vision ouvrait le chemin de l'initiation.

Miniconjous
« Ceux qui plantent à côté du courant »
voir Dakotas.

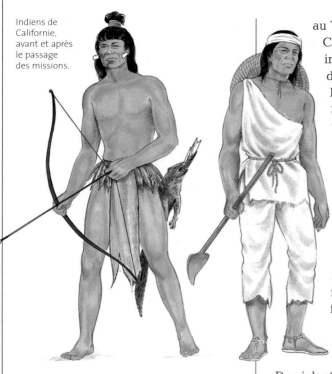

Indiens de Californie, avant et après le passage des missions.

au Texas et plus tard en Californie, et devenir des instruments de conquête et de domination sur les Indiens. Les Franciscains fondèrent San Francisco en 1776 et vingt et une missions en Californie où les tribus seront esclaves et soumises à l'*encomienda*, c'est-à-dire au travail forcé. Les Indiens étaient mal nourris, mal logés, et les récalcitrants étaient punis de la plus cruelle façon. Suivant la gravité de la faute, ils étaient mis aux fers, fouettés, marqués au fer rouge et même mutilés ou exécutés en cas de tentative d'évasion. De violentes révoltes eurent lieu qui engendrèrent la chaîne des répressions, des haines et des vengeances.

Missions

À la suite de la première vague espagnole, celle des « conquistadors » seulement avides de richesses, arrivèrent les religieux dont la mission était d'évangéliser, de convertir les peuples indiens à la vraie foi.
La tâche fut confiée prioritairement aux Franciscains et aux Dominicains dont l'action épousait la politique de l'Espagne, soucieuse de préserver son influence sur le Mexique et la Californie malgré la concurrence, sur la côte Pacifique, des Russes et surtout des Anglais.
Protégées par les *presidios*, les missions religieuses allaient s'implanter d'abord

Mississippi

Du chippewa *mici*, « large », et *zibi*, « rivière ».
Fleuve de 3 694 kilomètres qui traverse les États-Unis du nord au sud. Il prend sa source au lac Itasca dans le nord du Minnesota. Enrichi par les eaux de nombreux affluents, dont le puissant Missouri, il est emblématique de l'histoire des États-Unis et son surnom *Old Man River* évoque le XIXe siècle, la conquête de l'Ouest et les bateaux à roues…

La Yellowstone, avant sa rencontre avec le Missouri.

Missouri

Les Sioux le désignaient comme la « rivière boueuse ». Long de 3 765 kilomètres, le Missouri naît du confluent de trois rivières (Jefferson, Madison et Gallatin) à Tree Forks, dans le Montana. Il reçoit ensuite les eaux de nombreux affluents (Yellowstone, Little Missouri, Cheyenne, White, Niobrara, Dakota, Big Sioux, Platte, Kansas…) avant de rejoindre le MISSISSIPPI en amont de Saint Louis. Voici comment Meriwether LEWIS décrit sa découverte des chutes du Missouri, le 13 juin 1805 : « Sur 90 ou 100 mètres, l'eau tombe d'une masse lisse et régulière (…), elle offre le spectacle splendide d'une écume parfaitement blanche (…) et sur tout cela le soleil jette les plus vives couleurs de l'arc-en-ciel. »

Missouris

• De l'algonquian « Possesseurs de canots » ; leur propre nom était *Niutachi*.

• De langue siouan, ils appartenaient au groupe Chiwere (avec les Iowas et les Otos).

• Localisation sur la rive sud de la rivière Missouri avant son confluent avec le Mississippi.

• 1 000 en 1780. 80 en 1829 et 13 en 1910. En 1930, ils furent intégrés dans la tribu Oto.

Miwoks

- « Hommes » dans leur langue.
- Langue : penutian.
- Région du parc Yosemite (Californie), à l'est de l'actuel San Francisco.
- Chasseurs et cultivateurs.
- Contraints de subir la présence de MISSIONS, ils participèrent à plusieurs révoltes. Quelques villages miwoks furent ravagés par les Mexicains en 1843. La découverte de l'OR incita les mineurs en quête de main-d'œuvre à mener des razzias contre certaines tribus afin de ramener des captifs.
- Environ 11 000 en 1770, il ne subsiste que quelques centaines d'individus aujourd'hui.

Mocassins

Nom d'origine algonquiane avec diverses variantes : *mockasin* (Powhatan), *mohkussin* (Massachusett), *mocussin* (Narraganset), *m'cusun* (Micmac), *makisin* (Chippewa). À l'exemple des chaussures que nous connaissons et qui portent ce nom, les mocassins des Indiens étaient en peau, légers et souples. Leur fabrication différait selon les tribus. Ils étaient ornés au gré de la fantaisie des réalisateurs : plumes, perles, graines, boutons, débris d'étoffe ou de fourrure, piquants de porc-épic, etc. Certains modèles existaient pour les cérémonies.

Modocs

- De *Moatokni* signifiant « Habitants du Sud ».
- Langue : shapwailutan.
- Dans l'angle nord-est de l'État de Californie (lacs Clear, Goose).
- 400 en 1780, 329 en 1937, 133 en 1985.

Mogollons

Installés dans les montagnes au sud du Nouveau-Mexique, les Mogollons vivaient d'une façon plus rustique que les HOHOKAMS. Leur habitat à demi enterré était adapté aux gros écarts de température qu'ils subissaient. Primitivement chasseurs et cueilleurs, ils devinrent eux aussi habiles cultivateurs, tirant parti de la proximité des torrents de montagne pour faire pousser maïs, courges, haricots… Adroits potiers, les Mogollons étaient également experts en bijoux, utilisant différents matériaux dans leur tâche : turquoises de la région, cuivre venu du Mexique, coquillages de la côte Pacifique. Aux XIIIᵉ et XIVᵉ siècles, ils migrèrent vers le nord et adoptèrent la culture de leurs voisins Anasazis, les « Hommes des falaises ». Les Zunis sont les descendants de ces Mogollons.

Mohaves

• De *Hamakhava*, « Trois montagnes », en référence au massif des Needles.
• Langue : hokan.
• Territoire sur les rives du Colorado, entre la chaîne des Needles et l'entrée du Black Canyon.
• Principalement cultivateurs. Les guerriers étaient réputés pour leurs qualités athlétiques.
• Après divers épisodes sanglants face aux Espagnols dès la fin du XVIᵉ siècle, puis contre les Américains, leur territoire devint réserve en 1865.
• Population estimée à 3 000 en 1680. Ils étaient 856 en 1937, 2 650 en 1985.

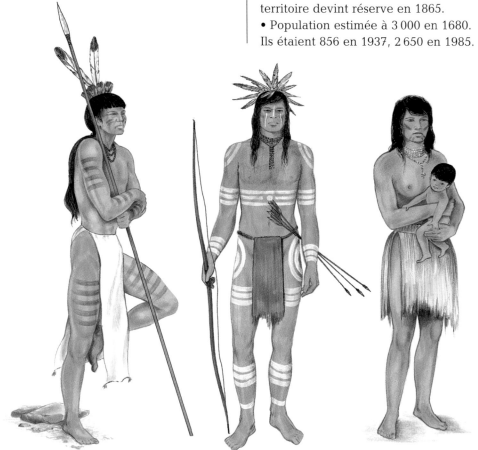

Mohawks

voir Iroquois

Mohegans

• Leur nom signifiait « Loups »,
sans pour autant les confondre
avec les Mahicans.
• Langue : algonquian.
• Vallée de la rivière Thornes qui se jette
dans la mer à New-London (Connecticut).
• Bien que *Le Dernier des Mohicans*
soit une œuvre de fiction sans rapport
avec leur histoire, il est probable que
ce sont bien les Mohegans (et non
les Mahicans) qui ont inspiré le roman
de James Fenimore COOPER (1826).

Monongahela

Cette bataille qui s'est livrée dans
le sud-ouest de l'État de Pennsylvanie,
près de la ville actuelle de Pittsburgh,
est l'une des plus célèbres de l'histoire
américaine. Le 9 juillet 1775,
elle consacra la victoire des Indiens
et d'un petit effectif français face aux
Anglais et aux Virginiens commandés
par le général Edward Braddock.
Elle démontra l'inutilité des combats
livrés en formation compacte
« à l'européenne » et la supériorité
des tactiques à l'indienne (rapidité,
embuscades et combats singuliers).

Montagnais

voir Naskapis

Montcalm
Louis-Joseph (1712-1759)

Nommé maréchal de camp en 1756,
il est envoyé en Nouvelle-France pour
défendre la colonie contre les Anglais.
Malgré des effectifs très
inférieurs, il résiste
héroïquement à l'ennemi
jusqu'à la bataille
d'Abraham où il est frappé
mortellement. Quatre
jours après la mort de
Montcalm, Québec capitule.

Mouflon

L'espèce est présente dans la
plupart des régions montagneuses de
l'hémisphère Nord. La variante nord-
américaine est connue sous le nom de
Bighorn, ou chèvre des montagnes *(Ovis
canadensis)*. C'est un animal grégaire,
excellent grimpeur et bon nageur.
En été, agneaux et brebis constituent
des hardes d'une dizaine de têtes.
En hiver, ils
descendent
vers les
vallées
avec les
béliers. C'est alors
que l'espèce est le
plus vulnérable face
aux prédateurs (loups,
coyotes, ours, lynx). Car
à la belle saison, seuls les
aigles royaux constituent
une menace sur
les escarpements.

145

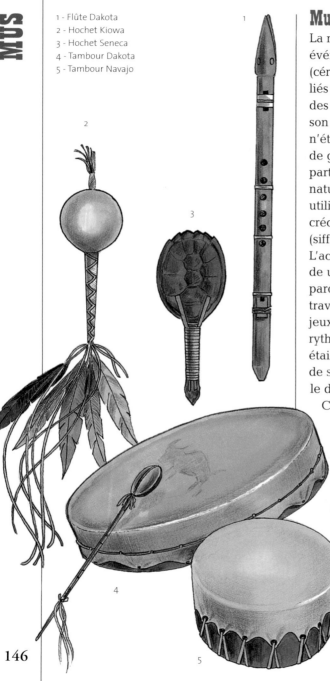

1 - Flûte Dakota
2 - Hochet Kiowa
3 - Hochet Seneca
4 - Tambour Dakota
5 - Tambour Navajo

Musique

La musique était présente lors de tous les événements concernant la communauté (cérémonies) et à l'occasion de tous ceux liés à la vie des Indiens. La musique des Indiens demeurait limitée dans son expression, d'une part parce qu'elle n'était pas transcrite mais transmise de génération en génération, d'autre part car elle était subordonnée à la nature et aux capacités des instruments utilisés : percussion (tambours, grelots, crécelles…), instruments mélodiques (sifflets, flûtes, instruments à cordes…). L'accompagnement chant pouvait varier de une à trois octaves et comporter des paroles liées aux circonstances (fêtes, travaux, prières, récoltes, chasses, jeux, décès…) et des sons murmurés rythmant la mélopée. Certains chants étaient la « propriété » de clans ou de SOCIÉTÉS et seuls ceux qui en avaient le droit pouvaient les interpréter…

Ce privilège pouvait être acheté. Les erreurs d'interprétation étaient punies !

Le plus souvent, la musique et les chants accompagnent des danseurs, ce qui privilégie le rythme des percussions par rapport à la mélodie.

Muskogean
voir Langues p. 20

Mustang
voir Cheval

N

Nahanes

- « Peuple du soleil couchant. »
- Langue : athabascan.
- Nord de la Colombie-Britannique et dans le Yukon.
- Peuple nomade, vivant de cueillette et de chasse. Les Nahanes observaient un mode de vie semblable à celui de leurs voisins.
- 2 000 en Colombie-Britannique et 800 au Yukon en 1670. Un millier aujourd'hui.

Nanticokes

- De *Nentego* (variante de *Unechtgo* ou *Unalachtigo*), « Peuple de la marée ».
- Langue : algonquian.
- Vivaient sur la côte du Maryland et au sud du Delaware. Alliés fidèles des Iroquois de la Ligue des cinq nations.
- 1 600 en 1600, 700 en 1915.

Narragansetts

- « Peuple du petit point. »
- Langue : algonquian.
- Établis à l'ouest de la baie Narragansett (État de Rhode Island).
- Étaient dirigés conjointement par deux SACHEMS, idéalement un homme et son neveu.

- Semi-nomades, ils cultivaient maïs et haricots. Bon chasseurs et pêcheurs de coquillages et fruits de mer. L'artisanat féminin était très développé. Il permit aux Narragansetts de prospérer, notamment grâce au commerce des WAMPUMS.
- Alliés aux Anglais lors de la guerre des PEQUOTS, ils furent durement frappés au XVIIe siècle par les épidémies.
- 4 000 en 1600, 2 500 de nos jours au Rhode Island.

147

Narvaez
Panfilo (1470-1529)

Conquistador espagnol réputé brutal et fourbe qui, après avoir conquis Cuba, mena une expédition pour prendre possession de la Floride (1528). Harcelée par les TIMUCUAS, sa troupe dut embarquer dans la hâte sur cinq radeaux. Ils s'échouèrent devant l'île de Galveston. Il y eut quatre rescapés, dont NUÑEZ CABEZA DE VACA.

Naskapis

• Naskapis et MONTAGNAIS sont considérés comme un seul et même peuple. Les Montagnais localisés au sud du Labrador entre l'estuaire du Saint-Laurent et la baie James, les Naskapis installés dans la région centrale du Labrador. Les premiers doivent leur nom aux Français en raison de la topographie de leur territoire. Ils se désignaient comme *Ne-Enoilno*, « Peuple parfait ». Les seconds étaient appelés Naskapis par les Montagnais, ce qui signifiait rustique, rude, dur… comme un reproche. Eux-mêmes s'appelaient *Na-Nenot* : « Les Vrais Hommes ».
• Langue : algonquian.
• Les Montagnais étaient chasseurs et pêcheurs. Les Naskapis, chasseurs de CARIBOUS et de petit gibier, pêchaient aussi les truites. Les femmes de la tribu fumaient viandes et poissons.

• Les ennemis des Montagnais étaient les Micmacs et surtout les IROQUOIS… Ceux des Naskapis étaient les INUITS établis plus au nord. Les Montagnais furent largement évangélisés et devinrent de fidèles partenaires des Français dans le commerce et la guerre. La raréfaction des animaux à fourrure, la famine, la guerre et les épidémies les menacèrent d'extinction.
• 7 000 Montagnais et quelques centaines de Naskapis vivent au Québec.

Naskapi

Natchez

- Étymologie incertaine.
Leur nom pourrait signifier :
« Guerriers de la grande falaise. »
- Langue : muskogean.
- Peuplaient les abords du Mississippi dans sa partie la plus méridionale.
- Outre leurs qualités de tisserands, les Natchez se distinguaient par une organisation tribale théocratique, centrée autour d'un monarque autoritaire, le Grand Soleil.

Un feu sacré brûlait perpétuellement sur leurs autels. Les relations sociales obéissaient à une stricte hiérarchie.
- Constituaient la plus ancienne et la plus importante tribu de la région. Ils furent pratiquement anéantis en 1729-1730, lors de leur révolte contre les Français. Les survivants se dispersèrent, d'autres furent envoyés comme esclaves à Saint-Domingue.
- Population estimée à 4 500 en 1650, disparue aujourd'hui.

Natchitoches

voir Caddos

Navajos

• Langue : athabascan.

• Installés au nord-ouest du Nouveau-Mexique et au nord-est de l'Arizona. Fait de bois et de terre, le HOGAN constituait leur habitation traditionnelle.

• Plus sédentaires que les autres Athabascans, ils étaient agriculteurs (maïs et fruits) et devinrent d'efficaces éleveurs de moutons.

Les Navajos firent preuve d'une habileté rare dans tous les domaines de l'artisanat : VANNERIE, tissage, travail d'orfèvrerie (splendides bijoux d'argent)...

• De *Navahuu* ou *Nauajo* « grands champs », devint Navajo ou Navaho. Eux-mêmes s'appelaient *Dineh*, « le Peuple ».

• L'univers religieux des Navajos est constitué d'un monde visible, celui où ils vivent entourés des animaux et des plantes, et d'un monde invisible. Ce dernier est le royaume des dieux, des ESPRITS et des ancêtres. Offrandes, danses cérémonielles, incantations, prières et peintures sur le sable font partie des rituels complexes adressés à ces dieux.

• Venus du nord comme leurs cousins Apaches, les Navajos furent influencés par les mœurs des Pueblos, dont ils partagèrent la révolte en 1680. Insensibles à l'action des missionnaires, ils continuèrent à lutter contre les Espagnols. Deux traités (1846 et 1849) ne mirent pas un terme à leurs actions. En 1863, le colonel Kit CARSON, chargé de les mettre à la raison, brûla les terres cultivées, massacra les troupeaux et emprisonna une grande part de la tribu à 500 km de chez elle. Libérés en 1867, les Navajos purent rejoindre leurs terres et la paix s'établit enfin avec leurs voisins.

• Répartis dans plusieurs réserves (Arizona, Nouveau-Mexique et Utah), les Navajos, habiles et entreprenants, ont enrichi leur communauté par l'élevage des moutons, les revenus des gisements de pétrole forés sur leurs terres et les activités liées au tourisme.

• Estimés à 8 000 en 1680, ils seraient aujourd'hui plus de 220 000. Avec 65 000 km^2, leur territoire est de loin le plus vaste concédé à un peuple indien.

Tissage navajo

Neutrals

• Nom donné par les Français pour qualifier leur neutralité dans la guerre entre Iroquois et Hurons.

• Langue : iroquoian.

• Installés aux abords du lac Érié.

• 10 000 en 1600. Furent exterminés par les Iroquois en 1650.

151

Nez-Percés

• Nom utilisé par les Français pour désigner les groupes dont certains membres avaient le nez orné d'un coquillage. Plus tard, l'usage de ce nom fut conservé pour cette seule tribu. Eux-mêmes s'appelaient *Numiipu*, « le Peuple ».

• Langue : sahaptian.

• Large fraction de l'Idaho et nord-est de l'Oregon (vallées de la Snake et de la Clearwater).

• Chasseurs de BISONS et grands éleveurs de chevaux APPALOOSAS.

• Pourtant très pacifiques, ils s'opposèrent aux actions des trappeurs entre 1830 et 1840. Cédèrent une grande partie de leur territoire au traité de Walla Walla en 1855, mais leur réserve fut envahie par les chercheurs d'or en 1860. Suite au traité de 1863, ne conservèrent que la réserve de Lapwaï. En 1877, la décision d'ouvrir la vallée de la Wallowa provoqua la révolte des Nez-Percés menés par CHEF JOSEPH. Leur tragique odyssée prit fin en 1878.

• Population estimée à 4 000 en 1780. En 1995, 3 300 Nez-Percés sont recensés dans la réserve Lapwaï (Oregon).

Nisquallys

• Nom d'une signification inconnue.

• Langue : salishan.

• Vivaient sur le cours inférieur de la rivière Nisqually (État de Washington).

• 3 600 en 1780, 62 en 1937. Seraient 1 700 dans la réserve de l'État de Washington, mais il s'agit sans doute d'un chiffre intégrant d'autres Salishs.

Nez-Percés

Nootkas

(1592), puis Perez (1774), Cook (1778) et Vancouver (1792). La fondation de Victoria (1843) marqua la fin de leur indépendance culturelle. Convertis au catholicisme.
• 6 000 Nootkas en 1780. 3 200 en 1967, répartis dans la province de Colombie-Britannique (Canada).

Nuage Rouge
voir Red Cloud

Nuñez Cabeza de Vaca
Alvaro (1490-1560)

Il fut l'un des survivants de l'expédition NARVAEZ. À la différence de celui-ci, il était un homme loyal et bon ; suite au naufrage de l'expédition au large de Galveston au Texas, il est fait prisonnier par les Indiens, s'évade avec les trois autres rescapés, erre dans le nord du Texas, soigne des Indiens et est considéré par eux comme un HOMME-MÉDECINE. Accueilli par les Pimas, il est témoin des atrocités commises lors des incursions espagnoles. Aussi, à son retour à Mexico, tente-t-il de modifier l'état d'esprit des conquérants à l'égard des populations indigènes… Le récit de son extraordinaire périple, laissant croire que des richesses fabuleuses existent dans le Nord, annonce ainsi les expéditions de SOTO et CORONADO.

• Nom d'origine inconnue.
• Langue : wakashan (première division avec les Makahs).
• Occupaient la côte ouest de l'île de Vancouver. Leurs grandes maisons rectangulaires, construites en bois de cèdre, étaient alignées face à la mer.
• Grands chasseurs de mammifères marins (BALEINES, PHOQUES, dauphins). Étaient, avec les Makahs, les seuls à s'aventurer en haute mer à la poursuite des cétacés.
• Visités précocement par Juan de Fuca

153

O

Oglalas

« Ils se dispersent ».
Division des Lakotas. *Voir* Dakotas.

Ohio

Abréviation de *Ohioniio*, « Belle rivière ».
Affluent de gauche du Mississippi.
La vallée de l'Ohio fut une grande voie
de pénétration pour les colons attirés
par la fertilité des terres.

Ojibwas

• Appelés également Chippewas.
Eux-mêmes se désignaient *An-ish-in-
aub-ag*, « Hommes spontanés ».
Pour les Crees, ils étaient « Ceux
qui parlent la même langue » ; pour
les Hurons, les « Hommes des chutes » ;
pour les Français, les Saulteaux
(allusion aux chutes de Sault-Sainte-
Marie).
• Langue : algonquian.
• Comme les Crees, les Ojibwas étaient
divisés en tribus des plaines et tribus
des forêts ; ces dernières occupaient
la rive nord du lac Supérieur.
• Chasseurs semi-nomades,
ils récoltaient le riz sauvage sur
les bords du lac Supérieur. Ils étaient

également réputés comme pêcheurs
et constructeurs de canots. Leurs abris
en écorce de bouleau étaient l'œuvre
des femmes.
• Participèrent activement au commerce
des fourrures. Alliés aux Ottawas et aux
Potawatomis, en particulier contre les
Fox. Ils luttèrent aux côtés des Anglais
contre les *insurgents* américains et
participèrent aux révoltes de LITTLE
TURTLE (1790) et de TECUMSEH (1812).
• Estimée à 30 000 individus en 1905,
la population ojibwa vit autour de
la frontière américano-canadienne,
pour moitié dans des réserves. Elle
dépasserait aujourd'hui 105 000 âmes.

Okeepa

Chez les MANDANS, cérémonie annuelle consacrée au retour des BISONS, proche de la danse du Soleil des tribus des Plaines. Elle débutait par la danse du « bison mâle » (ne pas confondre avec la danse du bison), symbolique de la reproduction de l'espèce et de leur migration, indispensable à la vie de la tribu. La cérémonie se poursuivait par un rituel d'initiation pour les jeunes hommes. Ceux-ci subissaient des épreuves terrifiantes : des chevilles de bois étaient insérées sous les muscles du dos et de la poitrine, et servaient à suspendre les jeunes guerriers au toit de la « hutte-médecine ». À l'aide d'autres chevilles et de petites broches placées dans les bras et les jambes, on accrochait les boucliers et des crânes de bison afin de peser encore davantage sur les corps. Ainsi suspendus, les suppliciés tournaient pendant quinze à vingt minutes autour d'un tronc d'arbre installé au centre de la hutte. La cérémonie se terminait par une course sur la place du village où les jeunes guerriers encore tout sanguinolents étaient traînés sur le sol avec le bouclier et le crâne de bison encore attachés à leurs membres. George CATLIN assista à cette cérémonie et en fit une description précise.

Oklahoma

D'un mot choctaw signifiant « Homme à peau rouge ». Territoire initialement réservé aux « CINQ TRIBUS CIVILISÉES » (Cherokees, Choctaws, Chichasaws, Creeks et Séminoles) et où elles avaient été déportées de 1830 à 1833 en suivant la « Piste des larmes » (*Trail of tears*). Il avait été même projeté de créer un État indien susceptible d'accéder un jour à l'Union. Oubliant ces bonnes intentions, les autorités permirent, le 22 avril 1889, à des milliers de postulants d'envahir le territoire indien et de s'approprier des terres. En quelques heures, un million d'hectares sera distribué aux colons. L'Oklahoma est devenu un État de l'Union en 1907.

155

Omahas

• « Ceux qui marchent contre le vent. » Ils formaient l'une des tribus Dhegiha (aux côtés des Poncas, Osages, Kansas…)
• Langue : siouan.
• Vivaient au nord-est du Nebraska, sur la rive ouest du Missouri.
• Leurs villages étaient faits d'abris recouverts de terre ou d'écorce. Mais quand ils chassaient le bison, ils adoptaient les TIPIS comme les autres tribus des prairies.
• En conflit avec les Dakotas, les Omahas eurent de bons rapports avec les Blancs. Vendirent leurs terres en 1854, à l'exception d'une parcelle qui devint leur réserve, amputée en 1865 d'une surface attribuée aux Winnebagos.
 2 800 en 1780, ils étaient 1 300 en 1970.

Oneidas
voir Iroquois

Onondagas
voir Iroquois

Or
La recherche du précieux métal avait déjà fortement motivé la conquête espagnole… Quelques années plus tard, Jacques Cartier croit ramener du Canada des barils d'or, mais il ne s'agit que de cristaux de « pyrite jaune » ! C'est la découverte d'un forgeron du nom de John Marshall, le 24 janvier 1848, d'une pépite sur les terres du capitaine John Sutter dans le sud de la Sierra Nevada, qui va déclencher la « ruée de l'or » de la Californie. Des centaines de milliers de prospecteurs parcourent la Californie en tous sens, chassant, tuant les Indiens, ou cherchant à les réduire en esclavage à destination des mines. Le massacre des tribus Klamath, Hupa, Yurok, Karok, Miwok, Maïdu… se poursuivit jusqu'en 1870 ! En 1874, la découverte de nouveaux gisements dans les BLACK HILLS, terre sacrée

Orignal

C'est l'élan des régions septentrionales de l'Europe et le plus grand des cervidés. *Alce Americana* peut atteindre la taille d'un cheval et ses bois dépassent parfois 1,50 mètre d'envergure. Il affectionne les zones marécageuses et les bosquets feuillus. En été, il est souvent solitaire dans sa quête de nourriture : feuilles de saules et plantes aquatiques. En hiver, il se déplace en petites bandes et se contente de brindilles et d'écorce de bouleau. Pour tous les Indiens de la Grande Forêt, il constituait une proie appréciée pour son apport en viande et en peau. À l'automne, période du rut, ils attiraient l'animal à portée de flèches par l'usage d'un appeau imitant le brame d'amour.

des Sioux, allait attirer de nouveaux aventuriers dans une autre région avec des conséquences tout aussi dramatiques.

Oregon Trail

En 1846, les Anglais concèdent aux Américains la possession d'une vaste région alors appelée Oregon et qui comprenait les États actuels de l'Oregon, de l'Idaho et de Washington. La piste de l'Oregon *(Oregon Trail)* permettait de relier l'Est à Vancouver. Elle fut empruntée par des colons, des trappeurs, des chercheurs d'or et des aventuriers. Traversant les territoires des Dakotas, des Cheyennes, des Poncas et ceux des Indiens du Plateau (Cayuses, Nez-Percés, Yakimas…), son existence eut des conséquences faciles à imaginer !

Orque

Mammifère cétacé, l'orque (*Orcinus orca*) est aussi appelé épaulard ou « tueur de baleines ». Il peut atteindre neuf mètres de long et sa voracité est extrême : poissons, poulpes, tortues et oiseaux de mer sont ses proies habituelles. Sa représentation est fréquente sur les TOTEMS des Indiens de la côte Nord-Pacifique.

Osages

• Corruption par des commerçants français de leur nom, *Wazhazhe*.
• Langue : siouan.
• Établis dans les régions sud du Missouri et au nord de l'Arkansas.
• La plus importante tribu des Dhegihas. Organisation identique aux autres tribus du groupe : descendance par les pères, interdiction de mariage entre membres du même clan, spécialisation des clans dans leur activité au service de la communauté. La tribu était partagée en deux moitiés : celle de la guerre et celle de la paix.

• Jacques MARQUETTE les rencontra en 1673. Furent alliés des Français pour vaincre les Fox en 1714. Se signalèrent ensuite par une intense activité guerrière, leur nom devenant synonyme d'« ennemi » pour les autres Indiens. En 1802, des commerçants français les persuadèrent de remonter le cours de l'Arkansas pour s'installer dans ce qui allait devenir l'Oklahoma. Subirent successivement la venue des tribus chassées de l'est du continent et l'invasion des colons blancs.

D'abord établis dans une réserve au Kansas, ils s'installèrent définitivement en Oklahoma en 1870.
• 6 200 en 1780. 9 500 en 1995.

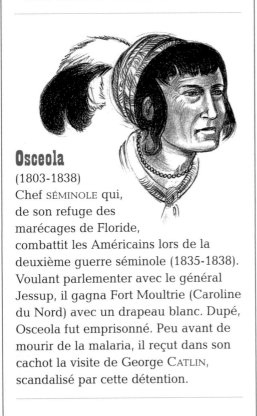

Osceola

(1803-1838)
Chef SÉMINOLE qui, de son refuge des marécages de Floride, combattit les Américains lors de la deuxième guerre séminole (1835-1838). Voulant parlementer avec le général Jessup, il gagna Fort Moultrie (Caroline du Nord) avec un drapeau blanc. Dupé, Osceola fut emprisonné. Peu avant de mourir de la malaria, il reçut dans son cachot la visite de George CATLIN, scandalisé par cette détention.

Otos

• De *Wat'ota*, traduit par « libertin » ; pourrait plus vraisemblablement signifier « inconstant ». Ils constituaient, avec les Iowas et les Missouris, l'une des trois tribus de la division des Sioux Chiweres.
• Langue : siouan.
• Établis au Nebraska, sur le cours inférieur de la Platte.

• Semi-nomades cultivateurs et chasseurs.
• Dans leur migration vers l'ouest, ils se seraient d'abord séparés des Iowas puis des Missouris. Visités par Cavelier de La Salle en 1680. Cédèrent leur territoire en 1854. Quand leur réserve sur la rivière Big Blue fut vendue en 1881, ils partirent pour l'Oklahoma où ils partagèrent des réserves avec les Poncas, les Pawnees et les Missouris.
• De 900 en 1780, ils étaient 1 300 en 1985.

Ottawas

- De l'algonquian
adawe, « commercer ».
- Langue : algonquian.
- Rive de la baie Géorgienne et île Manitoulin au nord du lac Huron.
- Activités traditionnelles des Algonquins des Grands Lacs. Sédentaires en été, dans de petits villages entourés de champs de maïs ; semi-nomades en hiver le long des cours d'eau et à la poursuite du gibier.
- Repoussés par les Iroquois au nord du lac Michigan, ils furent alliés inconditionnels des Français. Après le traité de Paris (1763), leur chef PONTIAC refusa l'hégémonie anglaise et poursuivit la lutte.
- Les Ottawas firent partie de la fédération des Nations indiennes unies de Joseph BRANT, hostile à l'expansion américaine. Mais ils cédèrent leurs terres au gouvernement fédéral par des traités successifs (1785, 1789, 1795, 1836).
- Il existe une réserve en Oklahoma, et de nombreux Ottawas sont établis dans le Michigan, en Ontario et dans leur île ancestrale : Manitoulin.

Ours

Objet d'une grande vénération de la part des Indiens, l'ours noir *(Ursus americanus)* était néanmoins chassé pour sa fourrure, parure des chefs et des chamans. Sa graisse entrait dans la composition d'une pâte antimoustiques et ses griffes étaient des ornements dotés de pouvoirs mystérieux. *Voir également* Grizzli.

P

Paiutes

• Leur nom pourrait signifier « les vrais Utes ».

• Langue : shoshonean.

• La branche septentrionale des Paiutes vivait au nord du Nevada et au sud-est de l'Oregon ; la branche méridionale, au sud du Nevada et au sud-est de l'Utah.

• Organisés en petites bandes autonomes, ils vivaient au XVIIIe siècle à un stade proche de l'âge de pierre. Chassant le cerf et le lapin, les Paiutes se nourrissaient de viande et d'os broyés. Évoluèrent ensuite grâce à la maîtrise de certaines cultures (maïs, citrouilles, haricots, tournesols).

• Prospecteurs d'or et colons se ruant sur la route de l'Ouest après 1850, ce sont les Mormons, peu désireux de l'irruption, qui armèrent les Indiens !

Les Paiutes du Nord se virent attribuer des RÉSERVES à partir de 1865, ceux du Sud quelques décennies plus tard. Ils s'associèrent à la révolte des Bannocks en 1878 et c'est un Paiute, WOWOKA, qui prêcha en 1890 le culte de la *GHOST DANCE*.

• 11 000 individus en 1995 dans les réserves du Nevada (Duck Valley, Pyramid Lake, Walker River) et les ranches californiens.

Palouses

• Étymologie et sens inconnus.
• Langue : shahaptian / penutian.
• Établis aux abords de la rivière Palouse (Washington et Idaho).
• Alliés des NEZ-PERCÉS, chasseurs de bisons.
• De 1848 à 1858, ils résistèrent avec d'autres tribus à la pression blanche. Furent les derniers à combattre et, bien qu'inclus dans le traité de 1855, ils refusèrent de vivre en RÉSERVE.
• 1 600 en 1805, on en recensa 82 en 1910.

Papagos

• « Peuple des haricots. » Leur propre nom était *Tono-oohtan*, signifiant « Peuple du désert ». Descendants lointains des Hohokams.
• Langue : uto-aztecan.
• Sud et sud-ouest de la ville actuelle de Tucson (Arizona) et au-delà de la frontière mexicaine.
• Tribu semi-sédentaire, les Papagos se déplaçaient en fonction des rares pluies dans la région. Ils cultivaient le maïs et le coton.
• Alliés des PIMAS, les Papagos furent découverts par le père Eusebio Kino en 1694.
• 6 000 en 1700, 4 300 en 1937, 8 300 en 1995.

Papoose

Le mot issu de l'algonquian désigne les petits ENFANTS. Il existait différentes déclinaisons propres à telle ou telle tribu : *pappouse*, *peiss*, *papeisse*, *papeississu*… Ce mot est sans doute inspiré par les premiers sons émis par un enfant en bas âge… Il est intéressant de le rapprocher du terme latin *pupus* : enfant. Dans la plupart des tribus, le papoose passe ses premiers mois dans un porte-bébé, sorte de berceau fixé sur une planche et installé sur le dos de la mère, le tronc d'un arbre ou le flanc d'un cheval. Dès l'âge de cinq ans, garçons et filles savent nager. Après quoi, les apprentissages diffèrent selon les sexes ; aux garçons l'art de

Berceau Crow

chasser, pêcher, se camoufler, tirer à l'arc, monter à CHEVAL ; aux filles la découverte des secrets de la cueillette, de la préparation des repas ou du tannage des peaux.

Parflèche

Sac de peau utilisé par les Indiens des Plaines. Avec la VANNERIE, il présentait l'avantage pour les peuples nomades d'être moins fragile que la POTERIE. Les Indiens s'en servaient tant pour le transport de divers objets et vêtements personnels que pour conserver certaines réserves d'aliments, comme le PEMMICAN.

Passamaquodoys

• « Ceux qui pêchent le pollock » (le pollock est un poisson proche de la morue, familier des côtes atlantiques).
• Langue : algonquian.
• Cours inférieur de la rivière Sainte-Croix, frontière entre l'État du Maine (USA) et le Nouveau-Brunswick (Canada).
• Population stable de 400 individus jusqu'en 1930. 1 070 en 1985.

Paul III
(1468-1549)

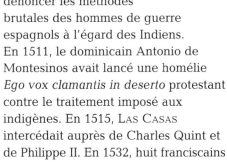

Pape en 1534. Depuis le début du XVIᵉ siècle, des hommes d'Église avaient alerté Rome pour dénoncer les méthodes brutales des hommes de guerre espagnols à l'égard des Indiens. En 1511, le dominicain Antonio de Montesinos avait lancé une homélie *Ego vox clamantis in deserto* protestant contre le traitement imposé aux indigènes. En 1515, LAS CASAS intercédait auprès de Charles Quint et de Philippe II. En 1532, huit franciscains adressent une supplique au « Conseil des Indes » à Madrid et c'est un dominicain, Domingo de Betanzos, qui inspire à Paul III, *Sublimus Deus* du 2 juin 1537. « Les Indiens et tous les autres peuples qui, à l'avenir, pourraient être découverts, même au temps où ils sont encore hors de la foi chrétienne, ne doivent pas être privés de leur liberté et du domaine de leurs biens. Ils en doivent pleinement jouir et on ne doit point les réduire en servitude. Tout acte contraire, de quelque manière qu'il ait été fait, est invalide, nul, sans force ni valeur. »

Pawnees

• De *Paariki*, « Cornu », allusion à leur coiffure, ou de *Parisu*, « chasseur ». Eux-mêmes s'appelaient *Chakiksichahiks* : « Hommes des hommes ».
• Langue : caddoan.
• Occupaient le cours moyen de la Platte River (Nebraska).
• Divisés en quatre bandes, les Pawnees étaient des semi-nomades vivant dans des abris recouverts de terre. Comme les MANDANS, ils se partageaient entre la culture du maïs et la chasse aux bisons. Observaient des rites religieux complexes où les éléments naturels (le vent, le tonnerre, les étoiles, la pluie) étaient des messages envoyés par Tirawahat, la force supérieure. Une série de

cérémonies ponctuait la croissance du maïs avec, parfois, des sacrifices humains (généralement une captive Comanche). Les Pawnees pratiquaient la VANNERIE, la POTERIE et le tissage.
• Venus du sud, ils occupèrent la Plaine avant l'arrivée des Sioux. Coronado les rencontra en 1541. Au début du XVIIIᵉ siècle, les Pawnees

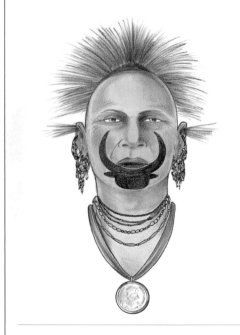

furent alliés aux Français pour
commercer et contrer la pression
espagnole. Ils s'épuisèrent au XIXᵉ siècle
dans leurs luttes contre les DAKOTAS.
Fournirent des éclaireurs aux armées
US, ce qui attisa la haine des tribus
Sioux. Cédèrent leurs terres par traités
et s'installèrent en Oklahoma.
• Environ 10 000 en 1780. 2 000 en 1990.

Pêche

Tous les Indiens riverains de
l'Atlantique et du Pacifique se livraient
à la pêche et à la récolte de crustacés.
Certains se distinguaient par des
méthodes particulières :
• Les Nootkas et les Makahs de la côte
nord-pacifique chassaient la BALEINE à
bord de canoës de huit à douze mètres

de long. Le harpon de cinq mètres est
équipé de pointes conçues en peau de
phoque. Le harponnage se poursuit
jusqu'à la mort de l'imposant
mammifère.
• Plus au nord, les Eskimos piégeaient
les saumons en construisant des barrages
en pierre dirigeant les poissons vers
des bassins de basse eau où ils sont
aisément capturés.

Les Indiens de l'intérieur pêchaient dans les lacs et les rivières et les techniques variaient du nord au sud :
• La pêche au saumon était pratiquée par les tribus du Nord-Ouest.
Le poisson était abondant et les Indiens Klikitats et Thompsons installaient de véritables pièges dans le cours des rivières, du même type que les « bourdingues » utilisés en France.
Les pêcheurs étaient aussi très habiles pour harponner les saumons.

• Les Menominees, Indiens riverains du lac Supérieur et du lac Michigan, pêchaient de nuit en installant des feux sur leur canoë. Les poissons attirés par la lumière, montaient en surface et se faisaient harponner. C'était la version amérindienne de la pêche au « lamparo ».
• Les Cherokees (Tennessee), les Iroquois (New York), les Chumashs (Californie) pratiquaient une pêche très particulière : ils jetaient dans l'eau des lacs ou des étangs des poudres réalisées avec des écorces, des graines ou des racines de végétaux. Les poissons drogués remontaient en surface où les saisir était alors chose facile.

Peintures

Les premiers Européens qui abordèrent les rives du Nouveau Monde furent impressionnés par les peintures corporelles de ceux qui allaient devenir des Indiens. Initialement, elles avaient sans doute un rôle protecteur contre le soleil, le vent, les insectes… mais avec le temps, elles servirent à indiquer le rang, les prouesses guerrières, la puissance protectrice, et pouvaient varier aussi suivant les circonstances (guerres, cérémonies…). Les guerriers de Plaines y voyaient le moyen d'impressionner leurs adversaires et souvent leurs CHEVAUX étaient également décorés, vantant la monture en même temps que le cavalier. Chacun arborait volontiers les insignes de son clan, fréquemment un animal protecteur comme le LOUP ou le renard. Les peintures n'étaient en fait qu'un mélange d'une base de graisse avec des colorants d'origine végétale, animale ou minérale.
Par exemple : du tournesol sauvage pour le jaune, différentes baies pour le rouge, des noix de l'hickory pour le noir, des excréments de canard pour le bleu, des terres ocre jaune ou rouge, du charbon de bois ou de la poudre de cuivre, etc.

Peintures

Blackfoot

Iowa

Pawnee

Téton

Pemmican

De la viande de BISON séchée au soleil était réduite en poudre et mélangée avec de la graisse et des baies sauvages ; le mélange ainsi obtenu était ensuite stocké dans des poches de peau ou dans des segments d'intestin. C'était la version indienne de la saucisse ! Facile à conserver, riche en protéines, le pemmican était la garantie idéale contre la famine. Chasseurs et guerriers des Plaines et du Subarctique en emportaient lorsqu'ils devaient quitter le village pour plusieurs semaines.

Penn
William
(1644-1718)

Rallié à la philosophie des quakers, cet Anglais organisa l'installation de plusieurs milliers d'émigrants fuyant l'Europe et ses persécutions religieuses. Les quakers élirent un territoire donné en concession par le roi d'Angleterre, qui deviendra la Pennsylvanie (son propre patronyme suivi du mot latin *sylvania*, la forêt). Penn fonda la ville de Philadelphie et sut établir avec les Indiens des relations amicales et confiantes. À la différence des autres colons, les quakers, foncièrement égalitaires, reconnaissaient aux peuples indigènes le droit à la possession du sol.

Pennacooks

• « Au pied de la colline. »
• Langue : algonquian.
• Territoire empiétant sur le New Hampshire, le Maine et le Massachusetts, autour de la ville actuelle de Boston.
• Abandonnèrent leur territoire à la fin du XVIIe siècle pour se joindre aux ABENAKIS dans le nord du Maine.
• 2 000 en 1600, 280 en 1924.

Penobscots

• « Là où il y a des rochers. »
• Langue : algonquian.
• Delta de la rivière Penobscot dans l'État du Maine.
• Visités par CHAMPLAIN en 1604, ils furent alliés des Français contre les Anglais jusqu'en 1749, date de la fin du conflit.
• 1 106 en 1985 dans leur réserve.

Penutian

voir Langues p.21

Peorias

voir Illinois

Pequots

• « Destructeurs. »
• Langue : algonquian.
• Côte sud-est de l'État actuel du Connecticut.
• Après des contacts plutôt cordiaux, les Pequots se sentirent menacés par

une profondeur de 20 à 25 mètres, ce qui permet la prolifération des lichens et végétaux qui vont nourrir les mammifères et attirer les vols des oiseaux migrateurs. S'ouvre alors une période de chasse courte mais capitale pour les peuples de la région.

Peyotl

Plante cactacée originaire du Mexique. Ses propriétés hallucinogènes ont généré un culte qui s'est répandu dans la Grande Plaine dès 1840. Les Kiowas et les Comanches furent les principaux consommateurs du peyotl.

Phoque

Le phoque *(Phoca hispida)* est présent dans toute la zone arctique, de l'Alaska au Labrador et Terre-Neuve. Il peut rester immergé pendant plus de vingt minutes, mais, le plus souvent, revient respirer en surface toutes les trois minutes par les trous qu'il a creusés dans la glace. Comme le bison pour les Indiens des Plaines, le phoque fournissait toutes les denrées essentielles à la vie des INUITS.

les Hollandais et par les Anglais. Sous la conduite du chef Sassacus, ils tentèrent de rallier leurs voisins et se soulevèrent contre les envahisseurs blancs (1637). La répression fut d'autant plus brutale que les vieilles rivalités tribales resurgirent. Appuyant les Anglais, les Mohegans et les Narragansetts causèrent la défaite des insurgés, impitoyablement massacrés… Les rares survivants à la « Guerre des Pequots » seront vendus comme esclaves.
• 2 200 en 1600, 140 en 1762, 200 en 1990.

Permafrost

Croûte de sol gelé, de 30 à 300 mètres d'épaisseur, qui recouvre la TOUNDRA subarctique. Au printemps, le soleil fait fondre la neige et la glace sur

169

Piankashaws

voir Miamis

Pictogrammes

Les Indiens n'avaient pas d'écriture
mais se servaient de pictogrammes,
ou signes dessinés, pour conserver
et magnifier la mémoire des
événements marquants de leur vie.
Tracés sur des peaux tendues ou
sur des écorces, les pictogrammes
permettaient en outre d'établir une
chronologie par le compte des hivers.

Pimas

• Eux-mêmes s'appelaient *Aa-tam*,
« Peuple de l'eau ».
• Langue : piman, subdivision
de l'uto-aztecan.
• Vallées de la rivière Gila et de son
affluent, la rivière Salée dans la région
de l'actuelle ville de Phoenix.
• Dès la fin du XVIIᵉ siècle, les
Espagnols firent des Pimas leurs
alliés en jouant de leur hostilité envers
les Apaches. Dans la même logique,
les Américains les armeront pour
contenir les révoltes apaches.
• 4 000 en 1680, 5 170 en 1937, 14 000
en 1990.

Pipes

Indépendamment du CALUMET dont
l'usage relevait d'un caractère officiel
ou sacré, les Indiens, grands amateurs
de TABAC, utilisaient des pipes de formes

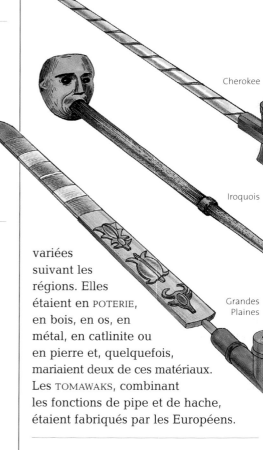

Cherokee

Iroquois

Grandes
Plaines

variées
suivant les
régions. Elles
étaient en POTERIE,
en bois, en os, en
métal, en catlinite ou
en pierre et, quelquefois,
mariaient deux de ces matériaux.
Les TOMAWAKS, combinant
les fonctions de pipe et de hache,
étaient fabriqués par les Européens.

Piste des Larmes

On surnomme ainsi le déplacement
forcé de 15 000 CHEROKEES qui,
au printemps 1838, durent quitter
leurs terres ancestrales des abords
du Mississippi pour les territoires
de l'OKLAHOMA. Au cours de ce long
périple, dans des conditions extrêmes
de froid et de famine, plus d'un tiers
de la nation Cherokee disparut.

Plateau
voir Terres indiennes p. 17

Plumes

Au cours de activités guerrières ou culturelles, les plumes étaient largement utilisées par les Indiens comme éléments décoratifs pour les COIFFES, les vêtements, les calumets, les armes…

Les oiseaux dont on recherchait les plumes étaient : les oies et les canards au gré de leurs migrations, les aigles, faucons, dindons sauvages, corbeaux, piverts, cailles, geais, merles et même perroquets !

Afin de suppléer aux aléas de la chasse, les Pueblos et les Indiens de Virginie gardaient captifs des AIGLES et des dindons. Dans le Nord-Est, Algonquins et Iroquois se confectionnaient des couvertures composées de patchwork de bandes de peau d'oiseaux encore garnies de plumes. D'autres peuples utilisaient des plumes pour décorer leurs VANNERIES, leurs *altars* ou leurs vêtements… et quand ils ne se servaient pas des belles rectrices de la queue des oiseaux pour faire des éventails, les plumes étaient un complément dans la tenue des braves. Outre leur rôle décoratif, elles signalaient l'ampleur des faits d'armes de celui qui les portait… Dans ce registre, les plumes d'aigle royal étaient les plus recherchées.

Pocahontas
(vers 1595-1617)

De son vrai nom Matohata. Fille du roi POWHATAN, elle prend la défense du capitaine John SMITH, condamné à mort par son père. Malgré ces heureux présages, les relations entre colons et Indiens se détériorent, et Pocahontas (« Petite Espiègle ») est faite prisonnière par les Anglais qui forcent Powhatan à payer une rançon. Libérée, Pocahontas épouse en gage de paix un prospère planteur de tabac nommé John Rolfe.

Signification des plumes : 1. A été blessé au combat. 2. A porté cinq « coups » à ses adversaires. 3. A blessé ou tué son adversaire. 4. A tué un ennemi. 5. A tué un ennemi et pris son scalp. 6. A porté quatre « coups » à ses adversaires. 7. A tranché la gorge d'un ennemi. 8. A été blessé plusieurs fois.

Elle est bientôt baptisée sous le nom de Rebecca et se rend en Angleterre en 1616 pour être présentée à la famille royale ! La jeune Indienne meurt de tuberculose avant de revoir sa terre natale.

Pomos

• « Hommes » dans leur dialecte. Pomo était également un suffixe associé aux noms de villages (ex. : Ballokaïpomo, Yokayapomo, etc.).
• Langue : hokan.
• Région côtière de la Californie, au nord de San Francisco.
• Vivant de cueillette (baies et glands constituaient la base de leur alimentation), de petite chasse et de pêche, ils étaient réputés pour leur simplicité. Témoignaient pourtant d'une grande habileté : travaux sur coquillages ou objets en écume de mer. Les FEMMES réalisaient les VANNERIES les plus élaborées de Californie, variant techniques et matériaux.
• Échappèrent largement à l'influence des MISSIONS franciscaines, mais durent lutter contre les Mexicains puis les chercheurs d'OR.
• Population estimée à 8 000 âmes en 1770, un millier en 1985.

Poncas

• Nom à la signification inconnue.
• Langue : siouan.
• Vivaient au confluent des rivières Niobrara et Missouri (Nebraska).
• Issus de la tribu OMAHA, ils observaient le mode de vie commun à tous les Sioux Dhegihas.

• Furent vaincus par leurs « frères ennemis » DAKOTAS et déportés en 1877 vers l'Oklahoma. Menée par le chef Standing Bear (« Ours debout »), une minorité refusa de quitter son territoire dont une partie devint réserve en 1889. Jusqu'à sa mort (1908), Standing Bear lutta pour que soient reconnus les droits de son peuple.

• Population estimée à 800 en 1780. Il y avait 400 Poncas au Nebraska en 1944 et 2 200 en Oklahoma en 1985.

Ponce de León
Juan (1460-1521)

Compagnon de
Christophe Colomb,
ce noble Espagnol aborde
le 27 mai 1513, venant de
Cuba, une terre au nord
qu'il baptise *Florida*,
le pays des fleurs.

Les TIMUCUAS accueillent cordialement les voyageurs avant qu'un incident bénin ne dégénère en bataille. Ponce de León fait lever l'ancre et reviendra huit ans plus tard : les Indiens attendent les Espagnols et Ponce de León est blessé. Il meurt à son retour à Cuba. La toute première exploration du continent s'ouvre sur des perspectives inquiétantes !

Pontiac
(vers 1720-1769)

Chef OTTAWA, de son vrai nom Obwandiyag. Opposé à l'expansion anglaise, il favorise les visées françaises et conçoit un ambitieux plan de mobilisation et d'alliance des tribus du sud des Grands Lacs (Hurons, Ojibwas, Potawatomis). Lancée en 1763, la « révolte de Pontiac » embrase la région mais débouche sur un échec dès lors que les Français se retirent du jeu. Vaincu devant Detroit, Pontiac se résigne à signer un traité de paix (1765) et meurt quatre ans après, assassiné par un Indien Illinois soudoyé par les Anglais.

Porc-épic

Le *porcupine* américain *(Erethizon dorsatum)* est plus grand que son cousin européen. Animal nocturne, il dort le jour dans un terrier ou dans un arbre creux. Peu vindicatif, il préfère la retraite à l'affrontement. Contraint au combat, il se protège de tous ses piquants et tente de toucher l'adversaire avec sa queue.

Ses piquants peuvent alors se détacher et se fixer dans l'épiderme de l'ennemi où ils resteront solidement fichés. Ces piquants étaient utilisés comme éléments de décoration pour les vêtements et les mocassins indiens.

Potawatomis

• Littéralement « Hommes du lieu du feu ». Ils étaient connus comme la nation du feu.

• Langue : algonquian.

• Occupaient la rive orientale du lac Michigan.

• Chasseurs et pêcheurs semi-nomades. Ils pratiquaient la pêche de nuit en installant des feux à la proue de leurs embarcations.

• Alliés des Français contre les Anglais, participèrent activement à la vaine révolte de PONTIAC (1763). Installés dans l'Indiana, les Potawatomis s'opposèrent à la colonisation américaine. Expulsés en 1846, ils s'installent au Kansas et se heurtent aux Pawnees.

• Leurs descendants occupent des réserves en Oklahoma et au Kansas. Certains sont revenus au sud des Grands Lacs. 16 700 en 1990.

Poteries

Si la plupart des tribus pratiquent la vannerie avec talent, seuls les peuples du Sud-Ouest s'adonnent à la poterie. Sans doute ont-ils hérité ce talent des cultures précolombiennes (Anasazis, Hohokams, Mogollons…) qui ont laissé de nombreux vestiges. Les ZUNIS, les HOPIS et certains PUEBLOS maintiennent cette tradition vivace.

Mogollon

Anasazi

Hopi

Acoma

Potlatch

Mot d'origine chinook. Coutume des Indiens de la côte Nord-Ouest, accompagnant diverses fêtes (mariages, naissances, rituels funéraires, accès à un titre…) et consistant, pour celui qui recevait, à fournir un maximum de nourriture et de cadeaux à ses invités. Cette redistribution de biens acquis par le travail (parures, fourrures, couvertures, canoës…) ou les exploits guerriers (armes, denrées, captifs…) est l'occasion de faire montre de sa richesse, de sa noblesse et de sa générosité. Elle peut aussi mettre un rival au défi d'en faire autant, s'il veut prouver son prestige et ne pas perdre la face. Le potlatch est un rituel social qui renforce la cohésion de la tribu. En raison de certains excès, comme l'endettement de plus en plus fréquent, il est interdit entre 1884 et 1951 par le gouvernement canadien.

Pouvoir

Si les régimes autoritaires furent nombreux en Europe, chez les Indiens d'Amérique du Nord, ils constituèrent des exceptions, les braves n'ayant sans doute pas un caractère à supporter l'arbitraire qu'engendre tout pouvoir absolu. Ils furent démocrates… mais à leur façon, qui n'était pas la plus mauvaise. Chaque entité, famille, clan, fratrie, demi-tribu avait un chef, le plus souvent coopté et choisi pour sa sagesse, son expérience et sa sagacité. Les chefs avaient davantage pour fonction d'orienter et de conseiller que de diriger. Redoutant peut-être la personnalisation du pouvoir, les Indiens plaçaient sur un même niveau les deux chefs des demi-tribus mais leur affectaient des domaines différents. Ainsi, pour de nombreux peuples, il y avait un chef « civil » et un chef « militaire », l'un commandait en temps de paix, l'autre en période de guerre. Parfois (chez les Osages) la moitié « civile » était végétarienne, l'autre « guerrière » mangeait de la viande. D'autres partages de pouvoir étaient plus poétiques : gouvernements de l'été puis de l'hiver (Pueblos), moitié-ciel et moitié-terre (Winnebagos).

Les décisions étaient prises collégialement par un conseil réunissant tous les chefs de la tribu. Censés être plus sages, les aînés assistaient les chefs pour les décisions de justice. Ensemble, ils décidaient des peines à appliquer pour toutes les fautes possibles : meurtre, vol, adultère, agression, injures, etc. Les sanctions étaient généralement lourdes et immédiates. Le meurtre était puni par la mort du coupable et, si celui-ci était en fuite, c'est un mâle de sa famille qui payait à sa place. Dans certaines tribus, l'adultère était sanctionné par la mutilation des oreilles, des lèvres ou du nez… quelquefois par la mort. Les autres fautes entraînaient des amendes ou des châtiments corporels : le coupable était fouetté ou marqué dans sa chair avec des épines ou des os pointus.

175

Powhatans

• Confédération de tribus regroupées sous l'autorité de Wahunsonacock (1550-1618), chef des Potomacs (tribus Pamukey, Pocomoke, Nansemond, Wicomi, Mattaponi…). Les Blancs l'appelèrent Powhatan (il était le père de POCAHONTAS) et ce nom désigna bientôt les Indiens de cette confédération.
• Langue : algonquian.
• Établis sur le littoral de la Virginie et du Maryland.
• Agriculteurs (maïs, potirons, haricots), chasseurs et pêcheurs.

• Furent les premiers à subir l'invasion blanche. Entre 1607, date de la fondation de Jamestown, et 1675 survint une succession ininterrompue de massacres, expéditions punitives, vengeances et trêves. En quelque soixante ans, les tribus Powhatans furent réduites à quelques bandes éparses.

Pow-wow

Ce mot d'origine algonquian avait plusieurs déclinaisons (*powow*, *powaw*, *pauwau*…) signifiant « il use de divination » et plus simplement « il rêve ». L'usage a privilégié le sens de rassemblement, conseil ou fête, mais il peut aussi désigner : l'HOMME-MÉDECINE, les manipulations du chaman à l'égard d'un patient, la danse précédant une fête. Pour les peuples nomades des Plaines, le pow-wow avait une fonction essentielle de cohésion sociale.
Il permettait à des tribus éparses de se réunir au moins une fois l'an, d'échanger des nouvelles, de solidifier des alliances. Un pow-wow digne de ce nom durait plusieurs jours ; il comportait force chants, danses, banquets et jeux.

Pueblo Bonito

Site d'un village anasazi dans le Chaco Canyon (Nouveau-Mexique). La construction avait débuté vers 1000 av. J.-C. ; c'était un ensemble disposé en terrasses et en demi-cercle, comportant 600 chambres pouvant abriter plus de mille individus.

Pueblos

• Sous ce mot, signifiant dans leur langue « ville » ou « village », les Espagnols désignèrent les Indiens vivant dans des habitations construites en ADOBE (briques de terre séchées au soleil). Ces peuples, utilisant des langues différentes, cohabitaient paisiblement en cultivant leurs terres comme ils le faisaient depuis des siècles.

• L'arrivée en 1540 de Francisco Vasquez de CORONADO sonna le glas de leur tranquillité par le pillage et la tuerie. Progressivement, missionnaires et soldats espagnols s'installèrent, les uns convertissant, les autres asservissant. Les Indiens Pueblos se révoltèrent en 1680 contre l'envahisseur mais, à la fin du XVIIe siècle, les Espagnols se réinstallèrent.

• La majorité des tribus Pueblos vit au Nouveau-Mexique (Jemez, Keresan Pueblos, Piro Pueblos, Tewa Pueblos, Tiwa Pueblos, Zunis…), les autres en Arizona (Hopis).

• 53 000 en 1990.

Puyallups

• Nom, dans leur langue, de la rivière au bord de laquelle ils vivaient.

• Langue : salishan.

• Embouchure de la rivière Puyallup, site de la ville actuelle de Seattle (État de Washington).

• 322 en 1937, 7 000 en 1985.

177

Q-R

Quanah Parker
(1845-1911)

Quanah, « le Parfumé », et Parker, du nom de sa mère. Métis, fils d'une captive blanche, Cynthia Parker, capturée à 12 ans en 1834, et de Naw-Kohnee, leader des Kwahadis, les plus agressifs des Comanches. En 1874, il attaque un groupe d'écorcheurs (dépeceurs de bisons) avec une grosse troupe de 700 Kiowas et Comanches, et sera poursuivi pendant deux ans. Il fait sa soumission et encourage son peuple à cesser les guerres intertribales et à traiter avec les Blancs. Persuadé que le salut de son peuple passe par l'instruction, il construit alors des écoles pour les jeunes Indiens et fait office de médiateur dans de nombreux conflits.

Quapaws
• « Peuple de l'aval » pour leurs voisins de langue siouan. Les tribus de langue algonquian les appelaient les Arkansas. Ils étaient les « Beaux hommes » pour les Français.
• Langue : siouan de la division Dhegiha.
• Cours inférieur de la rivière Arkansas (qui leur doit son nom).
• Semi-nomades, ils pratiquaient l'agriculture autour de leurs villages (maïs, potirons, courges), chassaient l'ours et le cerf, et suivaient les déplacements des troupeaux de bisons.
• Furent en contact avec Marquette en 1675 et Cavelier de La Salle en 1682, puis avec les voyageurs successifs qui explorèrent le cours du Mississippi. Subissant le contrecoup des invasions et des décisions du gouvernement américain, ils cédèrent progressivement leur territoire et se retrouvèrent dans une réserve en Oklahoma.

Plusieurs centaines de Quapaws combattirent en France en 1917-1918.
• 2 500 en 1650, 500 en 1829, environ 2 000 en 1990.

Québec

Le nom de la belle province vient du micmac *Kebec* signifiant « Là où la rivière se resserre », emplacement de la ville du même nom fondée par Samuel de CHAMPLAIN en 1608.

Quileutes

• Déformation de leur nom *Quilayute* (signification inconnue).
• Langue : chimakuan, voisine du nakashan et du salishan.
• Cours inférieur de la rivière Quilayute, au nord-ouest de l'État de Washington.
• Chasseurs et pêcheurs (incluant PHOQUES et cétacés comme leurs voisins et ennemis du Nord, les Makahs).
• 500 en 1770, 284 en 1937, 270 en 1970 (réserve de La Push).

Quinaults

• Corruption de *Kwinail*.
• Langue : salishan.
• Embouchure de la rivière Quinault au sud du territoire des Quileutes (État de Washington).
• Chasseurs et pêcheurs. Comme toutes les tribus du Nord-Ouest, les Quinaults croyaient en une multitude d'ESPRITS intervenant constamment dans le monde humain. Lorsque le chaman tentait de chasser du malade un esprit mauvais, il tenait en main une représentation sculptée de son génie tutélaire.
• En 1855, ils cèdent par traité la majeure partie de leur territoire. Depuis lors, ils résident sur leurs terres dans une réserve au nord de la ville de Hoquiam.
• 719 en 1923, 1 228 en 1937, 2 410 en 1995.

Quivira

Sans doute le nom de cette ville mythique est-il une corruption espagnole de *Kirikurus*, nom que les Pawnees donnaient aux Wichitas. C'est le guide pawnee qu'utilisait CORONADO qui lui parla de cette ville aux richesses soi-disant fabuleuses, dans le dessein d'éloigner l'Espagnol vers le nord et de l'égarer. Le conquistador partira plein d'espoir au printemps 1591 ; mais en lieu et place des merveilleuses cités d'or, il ne rencontrera que de pauvres villages wichitas.

Rain in the Face
(1835-1905)

« Pluie sur le visage. » Chef Sioux ayant participé à l'attaque de la colonne Fetterman et à la bataille de LITTLE BIG HORN (1876), où il tua Tom Custer, le frère du général. Son visage était peint pour moitié en rouge, pour moitié en noir (le soleil et la nuit). Un jour, la pluie fit ruisseler ses PEINTURES de guerre, traçant des raies sur son visage. C'est de cet épisode qu'il tira son nom.

Raleigh
Walter (1552-1618)

Après avoir bataillé aux côtés des huguenots en France et aux Pays-Bas, il est chargé par la reine Elizabeth Ire d'Angleterre d'explorer les espaces inconnus du continent nord-américain (1584). C'est lui qui baptise les nouvelles terres du nom de Virginie, en l'honneur de sa souveraine, la « Reine Vierge ».

Il poursuit sa vie aventureuse sur les bords de l'Orénoque et en Espagne. Après la mort d'Elizabeth, Raleigh est mêlé à un complot, repart en Guyane et, à la demande des Espagnols, est arrêté et décapité.

Rat musqué

(Ondatra zizethiens). Grand rongeur, excellent nageur, habitant les rives des cours d'eau et des étangs dans la totalité du continent nord-américain. Connu sous le nom d'ondatra, sa fourrure était très appréciée des trappeurs. Faute d'un meilleur gibier, les Indiens se contentaient parfois de ces petits animaux.

Raton laveur

(Procyon lotor). Le « ragoon » américain vit le long des cours d'eau aux rives boisées. Sa fourrure est également très recherchée.

Red Cloud
(1822-1909)

« Nuage rouge » fut sans doute l'un des plus grands chefs Sioux et l'une des personnalités les plus marquantes de l'Ouest. Ce DAKOTA participa à tous les combats contre l'envahisseur blanc, réclamant sans cesse le respect des terres indiennes, le départ des soldats et la destruction des forts jalonnant, notamment, la piste BOZEMAN. Mais il comprit avant les autres que, devant l'inégalité du combat, il était préférable pour les Indiens de transiger sans pour autant se soumettre. Red Cloud signa en 1868 le traité de Fort Laramie (Wyoming), mais refusa obstinément de céder les Blacks Hills. SITTING BULL, son ancien complice dans la lutte, lui reprocha pourtant ce qu'il jugeait être de la compromission. En 1874, la découverte d'or dans les Black Hills entraîna de facto l'annulation du traité. Placé de force dans la réserve de Pine Ridge, Red Cloud y mourut en 1909.

Red Jacket
(1756-1830)

De son vrai nom, Segoyewatha. Chef SENECA, surnommé ainsi parce qu'il portait toujours une veste rouge. Il fut allié des Anglais face aux Américains. Suite à une loi interdisant aux Blancs de rester dans les réserves indiennes, il exigea que les missionnaires s'en aillent ! « Puisqu'ils ne nous apportent rien de vraiment bon, et ne servent qu'à rendre nos gens dépressifs et à se sentir constamment coupables de quelque chose, nous n'en voulons pas. S'ils ne sont pas utiles aux Blancs, pourquoi donc nous les envoyer ? »

Renard

Deux variantes de l'espèce se partagent le continent :
• le renard rouge *(Vulpes vulpes)*, présent du nord au sud ;
• le renard gris *(Urocyon cinereoargenteus)*, seulement présent dans la partie méridionale.
Animaux omnivores, difficilement observables car ils se déplacent

181

de préférence la nuit et se cachent le jour dans des petites cavités rocheuses, des terriers ou des arbres creux, de préférence des chênes. Tous les peuples indiens admiraient les qualités traditionnellement prêtées aux renards (la ruse, l'intelligence…), et l'on retrouve ces animaux dans d'innombrables contes et récits mythologiques autochtones.

Réserves

Les réserves furent préconisées dès 1800 par le président JEFFERSON, convaincu que les Indiens pouvaient devenir des agriculteurs sédentaires et s'intégrer ainsi à la société blanche. Le travail étant source de toutes les vertus, l'idée fit son chemin : au Texas et en Californie, des Indiens furent spoliés de leurs terres et rassemblés dans des réserves administrées par l'autorité fédérale. La mesure était d'autant plus séduisante que son application permettait de libérer des terres… Les Indiens devenaient ainsi les victimes d'un vaste système de corruption entretenu par les spéculateurs de terres et les fournisseurs de vivres du Bureau des Affaires indiennes. Dès son élection (1869), Ulysses GRANT tentera de mettre de l'ordre dans ce chaos et, pour réaliser l'intégration souhaitée, mobilisera les autorités religieuses, les élites de Boston, de Philadelphie et de New York (Indian Rights Association), les associations féministes (Women National Indian Association). Il ne sera plus question d'intégration mais d'assimilation : elle passe par l'interdiction de certains aspects de la culture indienne (chamanisme, polygamie, rites initiatiques et funéraires…). Le Dawes Act de 1887 autorisera le démantèlement des réserves en attribuant à chaque famille indienne une parcelle de 160 acres – dont beaucoup des nouveaux propriétaires se débarrasseront pour des sommes dérisoires, pour le plus grand bonheur des spéculateurs. Le Dawes Act permettra aussi l'ouverture de l'OKLAHOMA aux colons, réduisant à néant l'heureuse tentative des « Cinq nations civilisées » qui avaient organisé leur propre gouvernement et leur système scolaire. Ainsi échouera la politique d'assimilation pour les 248 253 Indiens du recensement de 1890 et leurs descendants. Mais, paradoxalement, les réserves ont sans doute sauvé ces Indiens de l'extinction totale et ouvert des perspectives pour un véritable renouveau.

Riz

Une variété dite « riz sauvage » *(Zizania aquatica)*, constituait la ressource principale des Indiens des rives des lacs Supérieur et Michigan (Ojibwas, Menominees, Winnebagos). La récolte se faisait en canot à la fin de l'été.

Au cours de l'opération, une grande partie des graines retombait à l'eau, assurant ainsi une future germination. La récolte était séchée au soleil et le vent se chargeait du vannage.
Le riz sauvage était consommé bouilli, parfois mélangé avec de la viande ou additionné de sirop d'érable.

Roadrunner

« Coureur des routes », ou coucou de Californie, le roadrunner *(Geococcyx californianus)* est un oiseau coureur particulier à la région du Sud-Ouest. Même surpris à découvert, il est capable de s'enfuir grâce à de brusques changements de direction. Il est friand d'insectes, de lézards, de scorpions et autres petits serpents. Dans les déserts de Sonora, Chihuahua ou Mojave, le coyote est son prédateur le plus courant, mais néanmoins malchanceux… si l'on en croit une série de dessins animés (« Bip-Bip »).

Roi Philippe

voir Metacom

Roman Nose
(1830-1868)

« Nez busqué. » Chef CHEYENNE, guerrier de la société du Chien *(Dog Soldier)*, célèbre pour sa carrure athlétique. Contemporain de DULL KNIFE, il mena une lutte permanente contre les colons blancs, notamment les Mormons. Il tenta d'empêcher la mise en service de la piste Bozeman. Roman Nose trouva la mort sur les bords de la rivière Arickaree, lors d'un raid contre un corps de troupe dirigé par le général Forsyth.

Rosebud

Sur ce site proche de la Yellowstone eut lieu l'un des plus grands affrontements des guerres indiennes opposant, le 17 juin 1876, les forces du général CROOK (2 500 hommes, augmentés de 250 éclaireurs Crows et Shoshones), aux Sioux et aux Cheyennes menés par SITTING BULL et CRAZY HORSE. L'issue de la bataille resta indécise, mais le succès psychologique revint aux Indiens, car Crook décida de retourner sur ses bases. Cinq jours plus tard, le général Custer prit l'initiative d'en finir avec la résistance indienne et pénétra dans la vallée de LITTLE BIG HORN…

Sitting Bull

S

Sacajawea

(1786-1812)

Célèbre femme SHOSHONE qui accompagna l'expédition de LEWIS et CLARK (1804-1806) en tant qu'interprète. Elle avait été enlevée puis élevée par les Hidatsas qui la vendirent à Toussaint Charbonneau, un « coureur des bois » (trappeur) canadien qui vivait parmi eux. Sacajawea (la « femme-oiseau ») remplit parfaitement sa mission d'interprète et de guide au service des deux explorateurs et retourna avec son fils dans la réserve attribuée à sa tribu. Selon certaines sources, elle ne serait pas morte en 1812, mais en 1884, à près de cent ans.

Sachem

Ce mot d'origine sénéca désignait la dignité héréditaire (la chefferie) dans les tribus algonquines du Massachusetts. Ainsi, la Ligue des cinq nations iroquoises était dirigée par un conseil de cinquante sachems ayant pouvoir de décision et de conseil sur toutes les grandes questions touchant la vie des tribus : la paix et la guerre, les alliances, les déplacements saisonniers, la justice…

Salishs

• De nombreux groupes de langue salishan occupaient les îles et côtes de la région Nord-Pacifique : Bella Coolas, Comoxs, Nanaimos, Klallams, Nisqualli, Puyallups, Skagits. Ils commerçaient activement avec les Salishs de l'intérieur.
• Les plus nombreux et influents furent sans doute les Cowichans, installés au sud-est de l'île de Vancouver.

Salishan

voir Langues p. 20

Sand Creek

Le 29 novembre 1864, alors que le chef Black Kettle avait rencontré le président Lincoln pour conclure la paix et que le camp des Cheyennes arborait la bannière étoilée et le drapeau blanc, 700 hommes de l'US Cavalerie menés par le colonel Chivington se ruent sur Sand Creek (Colorado) et massacrent plus de 500 personnes, femmes et enfants. Cette odieuse tuerie souleva une vague d'indignation dans le pays, mais motiva toutes les tribus à rejoindre les Cheyennes dans leur désir de vengeance.

Sanspoils

• Corruption d'un mot indien à la signification inconnue. Sans rapport avec une traduction française incertaine.

• Langue : salishan.
• Cours des rivières Sanspoil et Nespelem (nord-est de l'État de Washington).
• Réserve sur leur territoire : 800 en 1780, 202 en 1913.

Santees

« La rivière est là. » L'une des divisions des Sioux Dakotas.

Sarbacane

Long tuyau (bois évidé) servant à projeter en soufflant de petits projectiles. Elle était principalement utilisée par les Indiens du Sud-Est (Cherokees, Chickasaws, Choctaws…) pour la chasse aux oiseaux. Leurs sarbacanes étaient efficaces à plus de vingt mètres.

La côte Pacifique (Oregon).

185

Sarcees

- *Sa-arsi* : « Mauvais » en blackfoot.
- Langue : athabascan.
- Cours des rivières Saskatchewan et Athabaska dans l'Alberta canadien. Semi-nomades du nord de la Grande Plaine, ils chassaient le BISON.
- Souffrirent beaucoup de l'agressivité des Crees et d'autres tribus, avant d'être durement frappés par les épidémies de petite vérole (1836 et 1870) et de scarlatine (1856). Sous la conduite de leur chef Bull Head (« Tête de taureau »), ils luttèrent pour obtenir une réserve viable proche de Calgary (1879-1881).
- 700 en 1670, 400 en 1938.

Satanta

(1830-1878)

Chef KIOWA, grand orateur, il signe le traité de Medicine Lodge en 1867 mais n'en poursuit pas moins ses raids meurtriers contre les colons. Sur le sentier de la guerre en 1874, il est arrêté par CUSTER et se suicide en prison, du moins selon la version officielle...

Sauks

- Abréviation de leur nom *Asakiwaki* signifiant « Peuple de la terre jaune ». Ils sont mentionnés en 1640 par les Jésuites sous le nom huron *Hvattoghronon* signifiant « Peuple du couchant ».
- Langue : algonquian.
- Établis près du lac Michigan, dans l'est de l'État actuel du Wisconsin.

- Cultivateurs (maïs, haricots et courges) et chasseurs de bisons et autre gros gibier, semi-nomades comme leurs alliés FOX. Exploitaient et commercialisaient le plomb, abondant dans la région. Ils étaient réputés être parmi les plus belliqueux de la région des Grands Lacs.

• Successivement adversaires des Français, des Anglais et des Américains, ils participèrent aux révoltes de Pontiac en 1763 et de TECUMSEH, entre 1801 et 1814. Les Sauks signèrent en 1815 un traité qui entérinait la perte de leurs terres. Se lancèrent dans une ultime révolte, vouée à l'échec, sous la conduite de leur chef BLACK HAWK en 1832. Intégration progressive, selon les souhaits d'un autre de leurs chefs, KEOKUK.

• Leurs descendants vivent dans des réserves en Oklahoma (avec les Fox) et en Iowa. Ensemble, ils étaient 1 842 en 1985.

Saumon

Plusieurs espèces de salmonidés peuplent les rivières de la côte Pacifique. Le saumon chinook *(Oncorhynchus tshawytscha)* figure parmi les plus répandus. Il est aussi une proie très appréciée des pêcheurs, avec le saumon sockeye *(Oncorhynchus nerka)* et le saumon coho *(Oncorhynchus kitsutch).* Au mois d'avril, les Indiens abandonnaient les campements

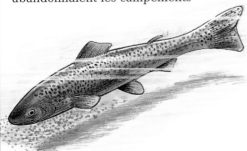

d'hiver et s'installaient pour les beaux jours à proximité des rivières. Les sites de pêche étaient soigneusement repérés et préparés pour piéger ou harponner le maximum de poissons remontant vers les frayères. Les passages les plus étroits étaient creusés et tapissés de pierres et de graviers blancs, afin de mieux apercevoir le furtif scintillement du poisson remontant le courant. À certains endroits propices au harponnage, les Indiens installaient des aplombs en bois ; en d'autres places, ils construisaient des barrages ou des passerelles jetées au-dessus des rapides. La pêche se poursuivait pendant tout l'été jusqu'au terme de la période de frai.

Savonnier

Plante de la famille des sapindacées, le savonnier pousse dans les zones subtropicales des États-Unis. Sa douzaine d'espèces contiennent de la saponine. Utilisée comme détergent naturel, cette substance moussante provoque également un effet stupéfiant chez les poissons, friands des graines du savonnier. Aussi les Indiens s'en servaient-ils pour pêcher sans peine dans les étangs et les lacs.

187

Scalp

Le rituel du scalp était pratiqué par
les Indiens du Nord-Est avant l'arrivée
des Européens ; l'Indien vainqueur dans
un combat pensait ainsi s'emparer de la
force vitale de sa victime et l'empêcher
de trouver le repos dans l'au-delà.
Les Blancs imitèrent cette pratique et
scalpèrent les Indiens abattus, surtout
quand les autorités offraient des primes
en échange de preuves concrètes…
Au XVIIIe siècle, la prise du scalp
se répandit dans tout le continent,
et en particulier dans la Grande Plaine.
Les Sioux, les Crows ou les Blackfeet
accrochaient volontiers ces macabres
trophées sur leur CHEVAL, leur BOUCLIER
ou leurs jambières.

Scout

Les armées de l'Union utilisèrent durant les guerres du XIXᵉ siècle de nombreux éclaireurs *(scouts)* indiens. Ils se recrutaient au sein des tribus traditionnellement ennemies de celles qui s'opposaient aux « tuniques bleues ». Les APACHES, les PAWNEES et les CROWS furent ainsi les plus nombreux à aider l'armée dans sa lutte sans merci contre les Dakotas et les Cheyennes.

Scout Apache

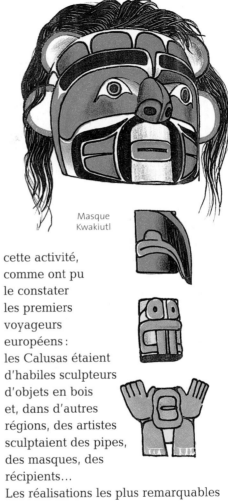

Masque Kwakiutl

Sculpture

Les cultures précolombiennes (Adenas, Hopewell, Hohokams, Mogollons, Anasazis...) ont laissé des vestiges témoignant du goût et du talent des hommes de ces époques lointaines pour sculpter petites statuettes, objets décoratifs ou utilitaires. Les Indiens du XVIᵉ siècle n'avaient pas abandonné cette activité, comme ont pu le constater les premiers voyageurs européens : les Calusas étaient d'habiles sculpteurs d'objets en bois et, dans d'autres régions, des artistes sculptaient des pipes, des masques, des récipients...

Les réalisations les plus remarquables étaient dues aux tribus de la côte nord-ouest (Haïdas, Tlingits, Tsimshians, Kwakiutls...) qui, à partir du bois des cèdres rouges, réalisaient TOTEMS, masques, instruments de MUSIQUE, meubles, PIPES, ARMES... Plus au nord, les Inuits produisaient avec un réel talent des petites sculptures dans l'ivoire des défenses de morse.

189

Secotans

étaient entourés de palissades : ils comprenaient de dix à trente grandes maisons.

• Leur vie fut décrite par John White qui accompagnait sir Walter Raleigh. Ils furent, comme leurs voisins POWHATANS, submergés par la colonisation européenne (XVIIe siècle). Les tribus Machapungas, Pamlicos et Hatteras, qui, plus tard, vécurent dans la région, semblent être les descendantes des Secotans.

• « Là où c'est brûlé », peut-être allusion à la technique de défrichage par le feu de ce peuple d'agriculteurs.
• Langue : algonquian.
• Installés sur le littoral de la Caroline du Nord, entre les baies Albemarle et Pamlico.
• Agriculteurs (maïs, haricots, courges…), chasseurs et pêcheurs. Leurs villages, proches de la mer,

Séminoles

• Peut-être la traduction d'un terme creek signifiant « fugitif ». Plus probablement, corruption de l'espagnol *cimarron*, « sauvage ». Eux-mêmes s'appelaient *Ikaniuksalgi*, Peuple de la péninsule.
• Langue : muskogean.
• Établis en Floride.

190

• Cultivateurs (maïs, courges, tabac, patates douces, melons), chasseurs, pêcheurs et cueilleurs de fruits. Les Séminoles élevèrent des bovins à partir d'animaux abandonnés par les Espagnols.

• Peuple MÉTIS, constitué par apports successifs d'Indiens fuyant la progression des Blancs (Yamassees, Apalachees, Creeks Red Sticks…) et d'esclaves noirs. De 1817 à 1858, trois guerres contre les Américains les forcèrent à quitter progressivement la Floride.

Menés par le brillant chef OSCEOLA, ils se battirent sans aucune aide. Un combat impitoyable dans les marais et la jungle coûta plus de 1 500 soldats à l'armée US. Mais les Indiens, submergés par le nombre et l'armement, durent renoncer. Hormis 300 Séminoles qui refusèrent de quitter les EVERGLADES, les autres (environ 3 000) partirent pour l'exil.

• En 1990, on dénombrait 13 800 Séminoles en Oklahoma, Arkansas et Floride. La plupart sont convertis au christianisme. Ils vivent dans leurs habitations de chaume ouvertes sur un côté et confectionnent toujours leurs célèbres chemises et robes en patchwork multicolore.

Senecas

voir Iroquois

Sequoyah

(1770-1843)

Fils d'un Blanc et d'une femme CHEROKEE, Sequoyah inventa un alphabet permettant à son peuple de lire et d'écrire. Pour lui rendre hommage, le grand pin rouge de Californie a été baptisé de son nom, mais avec une orthographe phonétique (Séquoia).

Serpents

Le continent nord-américain est riche d'une grande variété de serpents. Ils se raréfient au nord, mais leur population est particulièrement dense dans le sud. Beaucoup sont inoffensifs comme nos couleuvres, mais le nombre d'espèces dangereuses est beaucoup plus élevé qu'en Europe.

Sans être exhaustif, citons parmi les serpents dangereux :
• le serpent corail du littoral sud et de l'Arizona ;
• le copperhead présent dans tout le Sud-Est, de l'Ohio au Texas ;
• la gamme des crotales ou serpents à sonnette dont certains peuvent atteindre 1,80 mètre comme le Timber. Tous peuvent provoquer des morsures mortelles : crotale blacktail, crotale tiger, crotale sidewinder, crotale red diamond, crotale diamondback... Les crotales sont présents dans les forêts, aux abords des étangs, dans les déserts... partout !

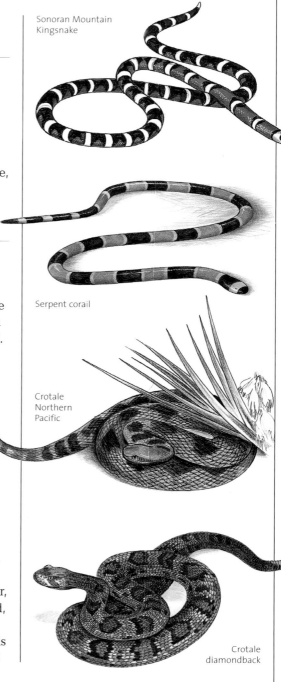

Sonoran Mountain Kingsnake

Serpent corail

Crotale Northern Pacific

Crotale diamondback

Serranos

- « Montagnards » en espagnol.
- Langue : shoshonean.
- Établis à l'est de la ville actuelle de Los Angeles.
- Très tôt convertis au christianisme, installés dans de petits villages isolés, ces Indiens de Californie vivaient de chasse et de cueillette (glands, graminées).
- 1 500 en 1770, 118 en 1910, 1 085 en 1985.

Shastas

- Nom d'origine inconnue.
- Langue : hokan.
- Zone frontière entre la Californie et l'Oregon. Confinés dans une réserve aux terres ingrates, ils disparurent presque totalement.
- 2 000 en 1770, 100 en 1910.

Shawnees

- De l'algonquin *Shawun*, « le sud ».
- Langue : algonquian.
- Vivaient dans la vallée de l'Ohio puis, à la fin du XVIIᵉ siècle, migrèrent dans deux directions. Les uns en Pennsylvanie, près de leurs alliés DELAWARES, les autres vers la Géorgie et l'Alabama où ils seront connus sous le nom de Sawagonis.
- Agriculteurs sédentaires et chasseurs. Leurs champs et vergers étaient clôturés, leurs villages bien organisés. Les Shawnees étaient connus pour leur courage, leur gaieté et leur bon sens.
- Luttèrent avec opiniâtreté contre les Anglais, puis face aux colons américains. Leur grand chef TECUMSEH infligea une défaite aux Américains à la bataille de la WABASH, le 4 novembre 1791. Mais, sous la conduite du général Wayne, ceux-ci prirent leur revanche à Fallen Timbers. Malgré les prophéties de Tenskwatawa, frère de Tecumseh, les Shawnees furent définitivement vaincus en 1813. Vingt ans plus tard, ils furent déportés au-delà du Mississippi.
- Leurs descendants vivent dans une réserve en Oklahoma. 3 000 en 1650, 916 en 1937, 1 039 en 1944.

193

Sheridan
Philip Henry
(1831-1888)

Général américain,
il fut l'un des chefs
fédérés, vainqueurs
de la guerre de
Sécession. En 1868, c'est lui qui demanda
à CUSTER d'attaquer le camp cheyenne
de Washita. Il deviendra commandant
en chef des armées de l'Union en 1884.
On lui attribue la paternité d'une phrase
tristement célèbre : « Un bon Indien,
c'est un Indien mort. » Selon certains, il
aurait dit : « Les seuls bons Indiens que
j'ai connus étaient morts », ce qui peut
prendre un sens différent. Selon d'autres,
la phrase daterait de la guerre de Pontiac
et son auteur serait James Cavanaugh,
représentant du Montana au Congrès.

Sherman
William Tecumseh
(1820-1891)

Général américain,
autre grand vainqueur
de la guerre de
Sécession. Il fut l'un
des signataires du traité
de FORT LARAMIE en novembre 1868.
Commandant en chef des armées
de l'Union de 1866 à 1884, il mena
d'innombrables campagnes contre
les tribus des Plaines. Il fut surtout
l'un des premiers à comprendre que,
plus que la force des armes, c'était le
nombre toujours croissant des colons
qui condamnait les Indiens. C'est

pourquoi il encouragea la construction
des chemins de fer et invita « tous
les chasseurs d'Amérique du Nord
et de Grande-Bretagne » à venir tirer
le bison, toujours plus à l'ouest.

Shoshones

• Nom d'origine incertaine. Pourrait
signifier « Dans la vallée ». Certaines
tribus voisines les désignaient dans
leurs langues par des noms tels que
« Ceux qui habitent des huttes d'herbe »,
mais pour la plupart, ils étaient les
« Serpents » ou « peuple du Serpent ».

• Langue : shoshonean.
• Les Shoshones du Nord occupaient l'Idaho oriental, l'ouest du Wyoming et le nord-est de l'Utah à proximité du Grand Lac Salé. On trouvait les Shoshones de l'Ouest au sud de l'Idaho, au sud-ouest de l'Utah et au nord du Nevada.
• Ceux du Nord vivaient, tels les Indiens des Plaines, de la chasse au bison. Ils firent connaître le CHEVAL à bien des tribus voisines : Blackfeet, Crows, Nez-Percés… Plus sédentaires, ceux de l'Ouest se consacraient surtout à la cueillette et à la pêche au SAUMON.

• En conflit permanent avec leurs voisins, les Shoshones comprirent avant eux l'inéluctable victoire des Blancs. Ayant même fourni des SCOUTS aux « tuniques bleues », ils obtinrent la superbe RÉSERVE de Wind River (Wyoming).
• Environ 4 500 en 1845, les Shoshones sont aujourd'hui 9 000, avec un fort taux de métissage.

Shoshonean
voir Langues p. 21

Shupwaps
• Signification inconnue.
• Langue : salishan.
• Sud de la Colombie-Britannique, entre les cours des rivières Fraser et Columbia.
• Alexander MACKENZIE les rencontre en 1793 et Simon Fraser en 1808. Ils furent ensuite en contact avec des négociants de fourrures de l'Hudson Bay Company en 1816, puis avec des mineurs et furent progressivement chassés de leur territoire. 220 en 1950.

Siksikas
voir Blackfeet

Siouan
voir Langues p.20

Sioux
voir Dakotas

195

Sitting Bull
(1830-1890)

Chef de guerre et HOMME-MÉDECINE des Sioux Hunkpapas, c'est le plus célèbre des grands chefs indiens et le symbole de la résistance à l'envahisseur. Il marque son premier « coup » à quatorze ans et son père, admiratif, lui donne son propre nom de « Taureau assis ». Au fil des ans, il gagne son statut de stratège et d'homme sage, et impose son commandement à tous les Sioux et à leurs alliés Cheyennes. En rêve, il a la vision des batailles de ROSEBUD et LITTLE BIG HORN (1876) et en prédit la violence et l'issue… De ce jour, il refuse d'approuver d'autres affrontements, persuadé que, face à des colons blancs chaque année plus nombreux, les Indiens ne pouvaient gagner. Parti avec son peuple en exil vers le Canada, Sitting Bull accepte de revenir aux USA sur la promesse que les siens seraient bien traités (1881), mais il est capturé dès son retour, de peur qu'il ne provoque un nouveau soulèvement. Conduit dans la réserve de Standing Rock, il est assassiné par deux Indiens à la solde de l'armée… qui seront tués à leur tour, quelque temps après leur forfait.

Skagits

- Signification inconnue.
- Langue : salishan.
- Cours moyen des rivières Skagit et Stillaguamish (Washington).

- 1 200 en 1780, 200 en 1957, 259 en 1970.

Skitswishs

- Signification inconnue. Ils étaient aussi appelés « Cœur d'Alène » par les Français.
- Langue : salishan.
- Cours supérieur de la rivière Spokane et autour du lac Cœur d'Alène (État de Washington, à l'est de la ville de Spokane, à cheval sur la frontière avec l'Idaho).
- 1 000 en 1780, 608 (avec les Spokans) en 1937 dans une réserve située sur leurs terres.

Slaves

- Leur vrai nom était les *Etchaottines* : « Ceux qui vivent dans un abri. » Ils subissaient la domination de leurs voisins Crees qui les désignaient par le terme *Awokanac* qui signifiait esclaves.
- Langue : athabascan.
- Vallée de la rivière Mackenzie à l'ouest du Grand Lac des Esclaves.
- 1 250 en 1670, 3 004 en 1967.

Smith
John (1579-1631)

Navigateur et colonisateur anglais. Débarqué dans la baie de Chesapeake avec une centaine d'hommes (1607), il mena trois expéditions en Virginie et fonda Jamestown (1609).

Sitting Bull, photographie de D. F. Barry, 1885

Fait prisonnier par les Indiens, c'est POCAHONTAS qui lui sauva la vie. Mais loin d'apaiser les tensions entre les deux communautés, ce geste noble déboucha sur d'autres exactions et de nouveaux massacres.

Snakes

Il s'agit d'un surnom (*snake* : serpent) donné à plusieurs tribus pour des raisons que l'on peut imaginer... soit c'était un terme de mépris pour une condition misérable (les Walpapis de l'Oregon étaient appelés *Snakes* et les Paiutes du Sud *Snakes diggers*), soit pour leur dangerosité comme combattants (ainsi les COMANCHES et les SHOSHONES), ou plus simplement parce qu'ils habitaient une région où la population de reptiles était

particulièrement dense (valable pour toutes les régions de l'Ouest). À titre de comparaison, les IROQUOIS, farouches guerriers étaient surnommés les *Nadowas* (Vipères) par leurs ennemis algonquins.

Snowsnake

Jeu sénéca consistant à projeter le plus loin possible une perche en bois (hickory, noyer, saule ou érable) de 1,50 à 2,50 mètres, dans une petite tranchée creusée dans la neige et pouvant atteindre 500 mètres de long sur 40 centimètres de profondeur.

Sociétés

Des « sociétés » regroupaient des hommes ou des femmes pour chaque activité importante : guerre, religion, danses et chants, activités artistiques... Chaque individu pouvait appartenir simultanément à plusieurs sociétés, selon ses diverses fonctions dans la tribu. Certaines sociétés étaient accueillantes, d'autres très fermées, voire secrètes (telle la société HAMATSA de la tribu Kwakiutl de la côte Pacifique). Les sociétés guerrières étaient particulièrement importantes chez les peuples des plaines.
On peut distinguer deux types :
• Les sociétés *graded*, structurées par classe d'âge (Blackfoot, Arapaho, Mandan, Hidatsa...), où chacun pouvait franchir successivement les différents niveaux depuis les néophytes de

quinze à vingt ans, jusqu'aux guerriers les plus anciens et les plus titrés. Quand les jeunes Indiens s'estimaient assez expérimentés pour entrer dans la hiérarchie guerrière, ils devaient acheter leurs droits aux membres du premier niveau, leurs aînés immédiats. Cela donnait lieu à cadeaux et festivités. Dépossédés de leurs prérogatives (chants, danses, cérémonies, rites…), les « vendeurs » avaient alors pour ambition légitime d'accéder au niveau suivant. Respectant des rites précis, des groupes de guerriers passaient ainsi d'un niveau à un autre.

Dog Soldier
(Cheyenne)

Le glissement dans la hiérarchie sauvegardait l'homogénéité d'âge et d'expérience entre les huit à douze niveaux suivant les tribus.

• Les sociétés *non graded*, concurrentes au sein d'une même tribu (Sioux-Téton, Crow, Cheyenne, Assiniboin, Omaha, Ponca…). Les règles étaient sensiblement identiques pour toutes les sociétés, mais leur notoriété était variable… Si aucune discrimination ne s'exerçait à l'égard de ceux qui rejoignaient ses rangs, la valeur collective ou les exploits d'un guerrier d'exception comptaient beaucoup pour assurer la suprématie d'une société. Aussi la concurrence était-elle vive pour attirer les plus valeureux… et tous les coups permis pour chercher querelle et s'affronter sur le terrain.

La surenchère dans la bravoure conduisait les membres de certaines sociétés (la *Miwa'tani* des Sioux Tétons ou la célèbre DOG SOLDIERS des Cheyennes) à s'attacher par une large ceinture à un pieu fiché sur le champ de bataille, s'obligeant ainsi à vaincre ou mourir.

Les guerriers « contraires » (société *Bow String* des Cheyennes) poussaient encore plus loin la témérité : faisant le contraire de ce que la logique commandait (oui pour non, avancer pour reculer), ils refusaient de rejoindre la bataille si leurs frères d'armes étaient vainqueurs, mais s'engageaient avec fureur en cas de déroute.

199

Les sociétés pouvaient également concerner les FEMMES soit en tant qu'éventuelles combattantes (Cheyennes), soit pour leur habileté dans certaines activités (par exemple, travaux réalisés avec des piquants de porc-épic dans les tribus Cheyenne, Mandan ou Hidatsa).

Spokans

• Étymologie incertaine. Pourrait signifier « Peuple du soleil ».
• Langue : salishan.
• Installés dans la partie orientale de l'État de Washington.
• Pêcheurs et chasseurs de tout gibier, dont le BISON.

• Résistèrent deux ans à l'armée américaine, jusqu'au traité de Fort Elliot en 1855.
• Leurs descendants vivent en réserves dans les États du Montana et de Washington. Environ 2 000 vers 1780, 847 en 1937, 1 961 en 1990.

Spotted Tail
(1823-1881)

« Queue tachetée. » Chef Sioux Brûlé, titre acquis pour sa bravoure au combat… ou pour son habitude d'arborer dans sa parure des queues de ratons laveurs. Il prend le sentier de la guerre en 1854, attaque des trains et des convois, mais il est vaincu, capturé et condamné à mort. Gracié sous condition de ne pas reprendre les armes, il tiendra parole. Nommé par le gouvernement chef de toutes les RÉSERVES, il apprend l'anglais. Mais il est critiqué pour ses relations avec les Blancs et Crow Dog l'assassine près de l'agence de Rosebud.

Squaw

Mot algonquin signifiant FEMME. Repris en anglais puis en français, il désigna bientôt l'épouse indienne, quelle que fût sa tribu. Jugé péjoratif, ce terme n'est plus employé par les communautés d'aujourd'hui.

Subarctique

voir Terres indiennes p.14

Sun Dance

Sous la conduite du chaman, la danse du Soleil était une cérémonie dédiée au Grand Esprit (Wakan Tanka) pour le remercier des bienfaits dispensés par la Nature. On honorait également le bison, symbole même de la vie. À l'abri d'une loge de danse construite pour l'occasion, la danse du Soleil se déroulait l'été ; avec des variantes, elle était commune à toutes les tribus de la Grande Plaine. Elle durait de huit à douze jours, avec une alternance de festivités et d'épreuves d'automutilation pour les guerriers. Les participants s'imposaient un jeûne complet et dansaient du lever au coucher du soleil, toujours face à l'astre. Le dernier jour, ils se faisaient percer la poitrine par un crochet situé à l'extrémité d'une corde, elle-même amarrée à l'Arbre de vie, un peuplier dressé au centre de l'aire cérémonielle. Ou bien, percés dans le dos, les danseurs tiraient derrière eux des crânes de bisons et dansaient jusqu'à ce que leurs chairs se déchirent, les libérant de leurs entraves. Ainsi était garantie l'harmonie entre les êtres vivants.

Susqehannocks

• Signification inconnue.
• Langue : iroquoian.
• Cours de la rivière Susquehanna (États du Delaware, de Pennsylvanie et du Maryland).
• 5 000 en 1600. Disparurent vers 1770, victimes des Iroquois et des exactions des Blancs.

T

Tabac

De *Tobacco*, mot
d'origine guarani. Pour
les Indiens, le tabac était
une plante sacrée. Son usage,
croyaient-ils, permettait d'éloigner
les maladies, de faire intervenir les
bons ESPRITS, voire de communiquer
avec eux. Christophe Colomb, dans
la relation qu'il fit de ses voyages,
confirma cet usage au sein des peuples
qu'il avait rencontrés. Les feuilles
séchées de la plante étaient mélangées
avec d'autres végétaux : feuilles
de laurier ou d'ÉRABLE, écorces
de cornouiller, de cerisier, de saule,
de peuplier ou de bouleau. Variables
suivant les tribus et les régions,
le mélange était appelé *kinnikinnik*
(de l'algonquian *kinnick* : mélanger).

Tahltans

• Signification inconnue.
• Langue : athabascan.
• Établis autour de la frontière de
la Colombie-Britannique et du Yukon.
• Chasseurs de caribous et d'orignaux,
les Tahltans seraient issus, d'après leur
propre légende, de la réunion de
plusieurs tribus venues d'horizons
différents et de langues autres que
l'athabascan. Très liés aux TLINGITS
de la côte, leur environnement fut
bouleversé par les arrivées successives
de chercheurs d'OR après 1874.
Ils subirent également les ÉPIDÉMIES
de variole de 1864 et 1868.
• 1 000 en 1780, 229 en 1909.

Taïga

Dans la région subarctique, zone
occupée par une vaste forêt de conifères
et de bouleaux. La taïga, au sud de la
toundra polaire, s'étend sous la même
latitude en Asie et en Europe.

Tamaroas

voir Illinois

Tananas

• Longtemps appelés *Tenan-Kutchin* :
« Peuple de la montagne », et considérés
à tort comme l'une des tribus Kutchins.
Ils portent désormais le nom de la
rivière Tanana, affluent du Yukon.
• Langue : athabascan.
• Vivaient sur le cours inférieur
de la rivière Tanana (Alaska).

• Fiers guerriers, redoutés de leurs voisins, ils étaient également réputés pour la qualité d'ornementation de leurs parkas. Grands chasseurs de CARIBOUS.

• 415 individus en 1910. Estimations antérieures très incertaines. D'après la *Tanano Chiefs Conference*, étaient 7 039 en 1985.

Tanoan

voir Langues p.21

Tatouages

Pratique très répandue chez les Indiens. Le tatouage pouvait être simplement décoratif (peuples de la côte Atlantique et des Grands Lacs, Wichitas de la Grande Plaine…), mais avoir aussi d'autres significations d'ordre social ou d'ordre sacré, liées aux puissances totémiques du personnage ou de la tribu (Haidas).

• Chez les Inuits, un tatouage marquait le passage à la puberté ou au mariage pour les femmes. Pour les hommes, c'était leur capacité de chasseur qui était ainsi signifiée.

• Une fonction particulière dans la tribu (gardien de la pipe sacrée chez les Osages) ou un office en liaison avec les esprits (Hupas) justifiait un tatouage.

• Les femmes Kiowas étaient tatouées d'un cercle sur le front ; la même marque, chez les Omahas, ou une étoile à quatre pointes sur le sein symbolisait les liens entre une fille et ses parents.

Iroquois

• Certains tatouages étaient censés prévenir les maladies (le mal de dents pour les Chippewas).

Le tatouage était prétexte à cérémonies accompagnées de chants et de danses, et c'était un expert de la tribu qui se chargeait de l'opération avec ses aiguilles (fragments de métal ou épines végétales) et son encre à base de charbon de bois. En 1530, Cabeza de Vaca mentionne des tatouages bleus et rouges dans les tribus du golfe du Mexique.

Tecumseh
(1768-1813)

Célèbre chef SHAWNEE, dont le nom signifie « Celui qui passe d'un point à un autre » ou, plus simplement, « Étoile filante ». Avec l'aide de son frère Tenskwatawa, il tenta d'unifier les peuples de l'Ohio à la Floride,

convaincu que c'était la seule façon de contrer efficacement l'insatiable appétit des Blancs pour de nouvelles terres. Mais ses efforts restèrent vains : défait à la bataille de Fallen Timbers (1794), Tecumseh s'exila au Canada et rejoignit les troupes britanniques contre les USA. À nouveau au combat, il est tué le 5 octobre 1813 à la bataille de la Thames, près de l'actuelle ville de Chatam (Ontario).

Tétons

« Ceux qui habitent la prairie », ils constituaient la division Lakota (Lakota = Dakota, mais avec une différence de prononciation).
Voir Dakotas.

Tewas

• « Mocassins. »
• Langue : tanoan.
• Peuple PUEBLO installé au nord du Nouveau-Mexique, ils étaient divisés en deux branches : au nord de Santa-Fé dans la vallée du Rio Chama ; au sud de Santa-Fé dans la vallée du Rio Grande. (Ceux-ci sont aussi appelés Tanos).
• En but aux attaques des APACHES, ils furent ensuite durement éprouvés durant la révolte Pueblo entre 1680 et 1696. Les Tewas subirent aussi les épidémies de VARIOLE du XIXᵉ siècle.
• Au nord, 2 200 en 1680, 968 en 1910.
• Au sud, 4 000 en 1630. En 1930, l'ensemble (nord + sud) compterait 3 412 individus.

Thompsons

• Nom donné par les Blancs, en référence à la rivière Thompson. La tribu s'appelait *Ntlakyapamuk* (signification inconnue).
• Langue : salishan.
• Vallées des rivières Thompson et Fraser (Colombie-Britannique), région montagneuse couverte de forêts.
• Pêcheurs de SAUMON et chasseurs (caribou, daim, orignal). Leurs maisons de rondins semi-souterraines étaient recouvertes de terre.
• Société très structurée, à la direction souvent collective. Chaque garçon subissait, autour de la puberté, l'épreuve de la « quête de VISION » en allant, seul dans la montagne, chercher son esprit-gardien.
• Furent surtout décimés par l'irruption de mineurs sur leur territoire (1858) et par des épidémies de VARIOLE les années suivantes.
• Les Thompsons continuent de vivre sur d'étroites parcelles. Peut-être 5 000 vers 1780, on en recensa 1 776 en 1906. Sont aujourd'hui 6 000 individus, dont la moitié dans des réserves. Dans leurs écoles, ils encouragent l'apprentissage de leur langue ancestrale.

Tillamoks

• « Peuple de la rivière Nehalem » en chinook.
• Langue : salishan.
• Côte Pacifique, entre les rivières Salmon et Nehalem (nord-ouest de l'Oregon).
• Presque exclusivement pêcheurs.
• Ils étaient 2 200 en 1805, 12 en 1930.

Timucuas

• Connus aussi sous le nom de *Utinas*, « Chefs ». Timucua signifierait souverain ou maître.
• Langue : muskogean.
• Établis dans la partie septentrionale de la Floride.

205

• Cultivateurs, chasseurs et pêcheurs, les Timucuas vivaient dans des maisons rondes regroupées en villages fortifiés. Très habiles marins, ils commerçaient avec Cuba.
• Rencontrés successivement par Ponce de León (1513), Narvaez (1528), de Soto (1539) et Ribault (1562). Les Espagnols supplantèrent les Français et christianisèrent les Timucuas, avant que ceux-ci ne soient décimés par les Creeks, les Yuchis et les Catawbas, aidés par les Anglais.
• 13 000 en 1650, les Timucuas n'existaient plus un siècle plus tard.

Tionontatis

• « Là où est la montagne. » Appelés aussi « Gens du Petun » par les Français (*petun* = tabac) ou *Tabaccos*.
• Langue : iroquoian.
• Vivaient au nord du lac Érié.
• Visités par les Français en 1616, les Jésuites établirent une mission parmi eux en 1640. Les Tionontatis accueillirent les Hurons, victimes des Iroquois de la Ligue des cinq nations, avant d'être à leur tour attaqués par les mêmes agresseurs. Ils quittèrent leur région et trouvèrent refuge avec des Hurons dans la vallée de l'Ohio.
• 8 000 en 1600. Intégrés depuis au recensement huron.

Tipais
voir Kamias

Tipi

Abri des Indiens nomades de la Grande Plaine. Les tipis appartenaient aux FEMMES, qui les montaient et les démontaient très rapidement. Selon les tribus, ils étaient édifiés avec trois ou quatre perches de base, auxquelles s'ajoutaient une vingtaine de poteaux de complément supportant des peaux de bison tannées, traitées et superposées. Au milieu du XIXe siècle, la toile remplaça souvent les peaux. Orientés à l'est pour mettre les occupants à l'abri des vents dominants, les tipis comportaient une ouverture au sommet pour évacuer la fumée. Au contraire, à la belle saison, on relevait les côtés pour aérer l'intérieur. La plupart étaient confortables : des fourrures moelleuses et des broussailles

parfumées tapissaient le sol. Installé au début de l'été pour la réunion des clans, le tipi du Conseil pouvait atteindre 8 mètres de haut et 12 mètres de diamètre. Très particuliers, les tipis peints appartenaient aux chamans et guérisseuses. Leurs dessins évoquaient les visions de l'occupant de l'abri.

Tlingits

• Nom dérivé de *Lingit*, « Peuple ».
• Isolat linguistique.
• Occupaient les îles de l'archipel Alexandre, aux confins de l'Alaska.
• Pêcheurs de SAUMON, sculpteurs et vanniers. Commerçants actifs et prospères, guerriers redoutés. Les ressources de l'océan (poissons, coquillages, os et huile de baleine) les dispensaient de pratiquer l'agriculture.

• Comme la plupart des tribus de la côte, les Tlingits observaient la lignée familiale par les FEMMES. Un père s'occupait de l'éducation des enfants

dure, percement de la lèvre inférieure.
• Premiers contacts avec les Russes.
À la suite de l'expédition de Chirikov
(1741), ceux-ci installèrent une tête de
pont dans l'île Baranov et entretinrent
des rapports difficiles avec les Tlingits.
Rude épidémie de variole en 1837.
Trente ans plus tard, les Russes
cédèrent aux États-Unis l'Alaska
et la côte des Tlingits.
• Population en expansion : 10 000
en 1750, 14 000 en 1990.

Tomawak

Nom qui, avec
différentes
variantes
(*tommattick,
tomohack,
tommyhawk, tomahigan…*),
désigne le même type d'arme
dans les tribus algonquines.
Le nom a été adopté pour les
multiples modèles de casse-tête
en usage d'un bout à l'autre
du continent. Le tomawak
est en bois, en corne ou
en os, artistiquement décoré
ou sculpté, pourvu ou non
d'une pierre ronde ou pointue,
ou d'une lame métallique. Dès
la fin du XVIIIe siècle, la pierre
est remplacée par une lame
en métal, modèle fabriqué
en Europe combinant
hache et PIPE, fonction
guerrière et plaisir
de fumer.

de sa sœur alors que ses propres
enfants dépendaient de l'autorité
du frère de sa femme. Les filles
devaient être chastes jusqu'au
mariage. Le passage de l'enfance
à l'état de femme s'accompagnait
de rites rigoureux et contraignants :
jeûne absolu de plusieurs jours,
immobilité totale en position assise
dans une hutte à l'écart du village,
frottement du visage avec une pierre

TOMAWAKS ET CASSE-TÊTES

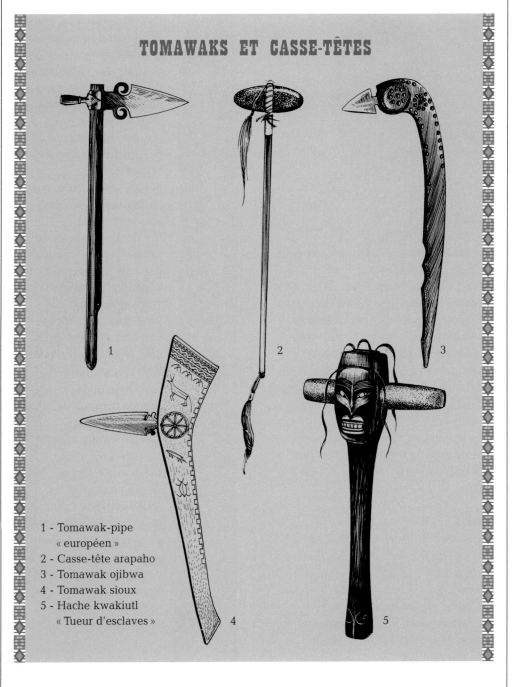

1 - Tomawak-pipe
  « européen »
2 - Casse-tête arapaho
3 - Tomawak ojibwa
4 - Tomawak sioux
5 - Hache kwakiutl
  « Tueur d'esclaves »

Tonkawas

- « Ils sont ensemble. »
- Isolat linguistique lié au karankawan.
- Vivaient au sud-est du Texas.
- Au XVIIIe siècle, ils furent alliés avec les Comanches et les Wichitas contre les Apaches pillards. Des tentatives de MISSIONS pour les convertir furent abandonnées en 1756. Plus tard, les épidémies et des affrontements avec les Caddos, les Shawnees, les Wichitas et les Delawares en Oklahoma les affaiblirent définitivement.
- Leurs rares descendants occupent une réserve en Oklahoma. 1 500 en 1690, 56 en 1944.

Totem

Terme issu de *ototeman* signifiant en chippewa et dans d'autres dialectes de la famille algonquian : « Il est de mon sang. » Ce sens induit l'idée que le totem, généralement un animal, est l'ancêtre commun des animaux de son espèce et des hommes du clan qui s'en réclament ; pour eux, il est le protecteur, l'ESPRIT dominant. Cette filiation entraîne certaines contraintes : un homme du clan de l'Ours ne peut épouser qu'une femme d'un autre clan ; les chasseurs du clan du Daim ne peuvent tuer cet animal et se procurent donc sa chair ou sa peau auprès des chasseurs d'un autre clan…
Il y aura volonté de faire preuve des qualités de l'animal-totem : patience et prudence du SERPENT, vitesse du cerf, force de l'OURS, etc.
Certains peuples de la côte Nord-Ouest (Haïdas, Kwakiutls…) érigèrent dans leurs villages de grands poteaux de bois, ou mâts totems.
Généralement réalisés à partir d'un tronc de thuya ou de séquoia, hauts de cinq à six mètres, adroitement sculptés et peints de couleurs vives, ils racontaient l'histoire d'une famille ou d'un clan et mettaient en évidence l'animal protecteur qui leur était associé.

Totem Haïda

Toundra

Zone septentrionale du continent
américain et soumise au froid arctique.
Il n'y pousse qu'une végétation limitée
à quelques saules et bouleaux nains,
des mousses et des lichens.

Traîneau

Pour se déplacer sur la neige, les
INUITS construisaient des traîneaux.
Les matériaux utilisés étaient le bois,
des os de cétacé ou des bois de caribou.
Les traîneaux inuits pouvaient atteindre
quatre mètres de long ; les chiens
huskies, sous la conduite d'un leader,
en assuraient la traction.

Traités

Sans remonter aux accords passés
avant l'Indépendance américaine, la
conquête des territoires indiens durant
les XVIIIe et XIXe siècles fut jalonnée
de traités signés entre les autorités
(anglaises, américaines ou canadiennes)
et les tribus. Du traité du 17 septembre
1778 avec les Delawares à 1871, date
à laquelle le Congrès abandonne
la politique de traités avec les tribus,
près de 700 traités et révisions ont été
signés… Les plus marquants furent
le traité de New Echota (1835), prélude
à l'exil des Cherokees sur la PISTE
DES LARMES, les deux traités de FORT
LARAMIE (1851 et 1868) et celui de

Medicine Lodge (1867) avec les tribus des Plaines. Dans leur presque totalité, ces engagements ne furent respectés ni dans la forme ni dans le fond par les Blancs.

Travois

N'utilisant pas la roue, les Indiens confectionnaient des travois avec deux longues perches fixées ensemble et qui permettaient le transport des charges les plus encombrantes : tipi démonté, vêtements, couvertures, enfants en bas âge et personnes âgées… Les extrémités des perches traînaient sur le sol et une peau était tendue au milieu, formant comme un brancard. D'abord assurée par un CHIEN, la traction fut confiée au cheval dès lors que cet animal fit partie de la vie des Indiens. (*Voir* Cheval.)

Tribu

La famille est l'unité de base de la communauté indienne. Elle peut être constituée à partir d'une lignée masculine, mais le plus souvent féminine, et englobe, d'une façon plus large que dans les sociétés européennes, tous les individus liés par le sang. Chacun a son rôle précis à assumer dans l'entité familiale et un ensemble de coutumes réglemente la vie et les relations entre ses différents membres ; de l'usage de la plaisanterie à divers interdits : ne pas regarder tel ou telle dans les yeux, ne pas manger en sa présence, ne pas prononcer son nom, ne lui parler que par l'intermédiaire d'un tiers… Les termes de père, mère, fils, sœur… étaient utilisés sans qu'il y ait nécessairement liens de parenté : ainsi les Indiens appelaient « père » le président des États-Unis et le mot « enfant » pouvait définir une relation de dépendance à l'égard de quelqu'un. Plusieurs familles revendiquant un ancêtre commun pouvaient se rapprocher et constituer un clan.

Chaque clan était placé sous la protection d'un animal ou objet-totem : loup, aigle, flèche, ours, cerf, vent, etc. Le TOTEM n'était pas objet de culte mais un guide spirituel pour le clan, impliquant une série de tabous ; s'il s'agit d'un oiseau, il est interdit de le tuer, de manger sa chair, de porter ses plumes… La vie de l'animal-totem inspire les chants et les danses des membres du clan.

Plusieurs clans formaient une fratrie et plusieurs fratries constituaient une demi-tribu. Si le système de fratries regroupant plusieurs familles était appliqué dans la Grèce antique, la subdivision en deux moitiés est une originalité indienne : ce qui peut a priori apparaître comme une complication inutile prenait tout son intérêt dans la distribution des responsabilités et des pouvoirs. (*Voir* Pouvoir.)

Tsimshians

• Nom signifiant « Peuple de la rivière Skeena ».

• Langue : penutian.

• Établis sur l'estuaire du fleuve Skeena, dans de grands villages de maisons en planches.

• Pêcheurs (saumons), chasseurs (ours, cerfs). Très liés aux HAIDAS et aux TLINGITS, quoique beaucoup moins guerriers. Les Tsimshians étaient d'adroits sculpteurs sur bois, os et ivoire. La société obéissait à une hiérarchie rigide, depuis l'aristocratie héréditaire jusqu'aux esclaves. Les coutumes sociales étaient élaborées et l'art sophistiqué, grâce à l'aisance procurée par l'exceptionnelle richesse de l'océan et des rivières.

• Chaque famille ou lignée avait son emblème particulier (TOTEM) représentant l'animal ou l'être surnaturel censé l'avoir créée. On retrouvait partout cet emblème : sur des mâts devant les maisons, sur des TATOUAGES, broderies, masques, canots, etc.

213

• N'eurent que de rares contacts avec le monde blanc jusqu'à l'installation de la Compagnie de la baie d'Hudson (1831). Subirent ensuite la pression des marchands de fourrures, des chercheurs d'OR et autres prospecteurs.

• Population estimée à 5 000 âmes au début du XIXᵉ siècle. Ils étaient 1 700 en 1968.

Turquoise

Pierre précieuse dont la couleur varie du bleu au bleu-vert. Des mines étaient exploitées avant l'arrivée des Blancs dans les États actuels du Colorado, du Nouveau-Mexique, de l'Utah, du Nevada et en Californie. Les Indiens Pueblos, les Zunis, les Navajos se sont spécialisés dans la création de bijoux à base de turquoise.

Tuscaroras

• Corruption de leur propre nom *Ska-ru-re*, signifiant « Ceux qui récoltent du chanvre ».

• Langue : iroquoian.

• Région nord-est de la Caroline du Nord, en bordure de la côte.

• Ils virent arriver les Blancs en 1508 et, très vite, des accrochages survinrent ; les Tuscaroras furent vaincus et migrèrent vers le nord rejoindre les IROQUOIS au sud du lac Ontario, devenant ainsi la sixième composante de la Ligue (1722). En 1846, ils furent déplacés vers le territoire indien.

• 5 000 en 1600, 793 en 1985 dans la réserve Tuscarora (État de New York). (*Voir* Iroquois.)

Tutchones

• « Peuple du corbeau. » Aussi appelés *Caribou Indians* et *Wood Indians* par les négociants en fourrures.

• Langue : athabascan.

• Vivaient dans la partie méridionale du Yukon.

• 1 000 en 1910. Se seraient intégrés dans d'autres tribus.

Tutelos

• Signification inconnue. Aussi appelés *Tuteras*.

• Langue : siouan.

• Région autour de la ville de Roanoke en Virginie.

• Migrèrent vers le nord et s'intégrèrent progressivement aux Cayugas malgré la différence de langue.

• Avec d'autres petites tribus de langue siouan, ils étaient 750 en 1701. Le dernier Tutelo est mort en 1871.

U-V

Umatillas

• Signification inconnue.
• Langue : shahaptian.
• Installés au confluent des rivières Umatilla et Columbia, au nord de l'Oregon. Ils voisinaient avec les Cayuses, les Walla Wallas et les Nez-Percés.
• Visités par l'expédition de Lewis et Clark en 1806.
• Survivaient grâce à la cueillette et aux produits de la chasse et de la pêche (saumons, moules).
• 1 500 en 1780, environ 2 000 aujourd'hui dans une réserve partagée avec les Cayuses et les Walla Wallas.

Umiak
voir Bateaux

Utes
• Leur nom, et toutes ses variantes (Utas, Utaws, Utsias, Youtahs…), pourrait être une corruption de leur propre nom *Notch* (sens inconnu). Certaines tribus les appelaient « Hommes noirs » ou « Peuple noir ».
• Langue : shoshonean.
• Centre et ouest du Colorado pour les Utes de l'Est ; Utah oriental pour ceux de l'Ouest.

• Chasseurs de BISONS, les Utes étaient connus pour leur talents de danseurs. Leurs cérémonies attiraient les tribus de toute la région.

• Peuple réputé agressif, très lié aux SHOSHONES et aux BANNOCKS, ils répondirent à l'invasion blanche par le vol de bétail et de chevaux. Ils luttèrent avec détermination contre l'installation des Mormons dans la vallée du Grand Lac Salé (1855). Sous l'influence du chef Ouray, leurs relations avec les Blancs se pacifièrent progressivement, hormis une révolte en 1879.

• Estimé à 4 500 en 1845, leur nombre était de 2 163 en 1937, 4 700 en 1985.

Vancouver
George (1757-1798)

Navigateur anglais, il prit part aux deuxième et troisième voyages de Cook. Devenu commandant, il reçoit mission en 1791 de prendre possession au nom de la Grande-Bretagne de la baie de Nootka et d'explorer la côte nord-ouest de l'Amérique. Il resta trois années dans la région et fit un relevé précis du littoral et de l'île qui porte son nom.

Vannerie

La vannerie était la spécialité des tribus du Sud-Ouest (Hopis, Papagos) et surtout de la côte Pacifique du sud au nord (Chumashs, Washos, Karoks, Tlingits…). Mais c'est au sein de la tribu POMO que se réalisaient les travaux les plus élaborés… même encore de nos jours !

Variole

Dès les premiers contacts entre Blancs et Indiens, ces derniers ont été contaminés par des virus contre lesquels ils n'étaient pas immunisés. Les ÉPIDÉMIES de variole furent de loin les plus meurtrières, réduisant de moitié la population des Grandes Plaines pendant le seul XIXe siècle. Quelquefois provoquées par la distribution de couvertures contaminées, ces épidémies firent des ravages particulièrement dans les tribus sédentaires comme les Mandans.
Voir Épidémies.

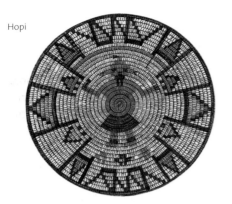
Hopi

Pomo

Tlingit

découragé, Vasquez de Ayllon retourne sur les lieux en 1526, pour y fonder une colonie et reprendre sa recherche d'esclaves… mais les Indiens ne l'ont pas oublié. Ils massacrent la plupart des Espagnols et Ayllon succombera à ses blessures à son retour à Saint-Domingue.

Vespucci
Amerigo (1451-1519)

Navigateur florentin, il a effectué quatre voyages (contestés ?) vers l'ouest et aurait exploré les côtes de l'Amérique du Sud jusqu'à l'embouchure de l'Amazone en 1500.
Voir Waldseemuller.

Vision

Accordant une grande importance à ses songes, qu'il interprète comme des prémonitions, l'Indien recherche cet état second propice aux visions et hallucinations. La pratique des sudations prolongées est répandue dans les tribus des Plaines et des Grands Lacs. Les séances ont lieu dans des abris (*onikaghe* ou *sweat lodges*) réservés à cet usage. Transpirant, immobile, privé de nourriture, l'Indien attend le moment, où, à la limite de la syncope, il aura des hallucinations au terme de cette purification.
De l'interprétation de ces visions dépendront des décisions peut-être vitales pour lui et sa tribu : guerres, chasses, migration du village, etc.

Vasquez de Ayllon
Lucas (?-1528)

Conquistador espagnol, natif de Tolède, il fait partie en 1521 d'une expédition en Caroline du Sud dont le but est de se procurer des esclaves. Mais l'affaire tourne court suite au naufrage de l'un des deux bateaux. Nullement

217

Vikings

Dès le Xe siècle, les Celtes et les Vikings connaissaient les côtes du Groenland et y avaient installé des colonies. C'est en guidant son drakkar dans les parages en quête de pillage qu'Erik le Rouge s'installe à Brattahlidh (ville actuelle de Julianenhab). Cherchant du bois, Erik décide de pousser vers l'ouest ; avec ses compagnons, il atteint la terre de Baffin d'où ils ramèneront en 984, non du bois, mais de l'ivoire de morse, de l'huile animale, des peaux et du cuir. Bjarni Herjolfsson, un autre Viking cherchant à rejoindre son père, compagnon d'Erik, s'égare dans une tempête, dérive vers le sud avec son drakkar et aperçoit une terre couverte de forêts.

Donnant foi au récit de Bjarni, Leif Eriksson, fils d'Erik, décide de retrouver cette terre et, après cinq jours de mer, débarque en l'an 1000 au nord de Terre-Neuve, qu'il baptise Vinland. Terre-Neuve fut pendant quelques années l'objet d'autres voyages : le premier mené par Thorvald, le second fils d'Erik le Rouge, un suivant par Thorfinnr Karlsefni, lequel fonde une colonie en un lieu qui a été identifié et qui s'appelle l'Anse aux Meadows. Mais la colonie ne pourra se maintenir du fait de l'hostilité des Indiens Beotuks, que les Vikings surnommaient les *Skraelingjars*, les hommes laids. Faute de s'y installer, les Vikings firent régulièrement, au cours des siècles suivants, des incursions sur les côtes du Labrador (le Markland : terre des bois). Ils avaient mis les pieds sur le continent américain près de cinq siècles avant Christophe Colomb, et il est loisible d'imaginer que le Génois, qui fit un voyage en Islande avant son expédition américaine, a pu profiter de certaines informations.

Wabash

Bataille qui se déroula le 4 novembre 1791 sur les bords de la rivière Wabash (frontière actuelle entre les États de l'Indiana et de l'Illinois). La jeune nation américaine souhaitait en finir avec les tribus qui avaient soutenu les Anglais ; les Indiens, au contraire, réclamaient leur indépendance. L'affrontement tourna à la déroute pour les Américains, menés par le général Saint Clair, face aux Indiens de LITTLE TURTLE, chef des Miamis, conduisant une vaste coalition de guerriers Mohawks, Shawnees, Delawares, Chippewas, Cherokees, Creeks, Osages…

Wahpekutes

« Ceux qui tapent du pied dans les feuilles. » Division des Santees. *Voir* Dakota.

Wahpetons

« Ceux qui vivent parmi les feuilles. » Division des Santees. *Voir* Dakota.

Walapais

• De *Xawalapaiy*, « Ceux du pin ».
• Langue : yuman.

• Cours moyen de la rivière Colorado, au nord de l'Arizona.
• Au XIXᵉ siècle, ils s'opposèrent à l'invasion blanche des ranchers et chercheurs d'or. Seront parmi les tribus à se rallier au culte de la GHOST DANCE.
• 7 000 en 1680, 454 en 1937.

Waldseemüller
Martin (1480-1521)

Géographe et cartographe allemand né à Fribourg, connu aussi sous le nom latin de *Hylacomilus*. Il a vécu et il est mort en Alsace. Il est l'auteur de la première carte (1507) sur laquelle figure, sous forme d'une étroite barrière de terre, ce qu'il désigne comme l'« Americi Terra del America », du nom d'Amerigo Vespucci à qui il attribue la découverte de cette terre nouvelle. Waldseemüller rectifiera ultérieurement son erreur en rendant à Colomb ce qui lui appartient, mais le nom d'Amérique se sera déjà imposé.

Walla Wallas

• Leur nom signifie « Petite rivière ».
• Langue : shahaptian/penutian.
• Établis sur le cours inférieur de

la Walla Walla (sud-est de Washington et nord-est de l'Oregon).
• Culture traditionnelle axée sur la pêche.
• Participèrent à la lutte des tribus du Plateau, de 1853 à 1858.
• Descendants installés dans la réserve Umatilla (Oregon). Population estimée à 1 500 en 1780 ; ils étaient 631 en 1937.

Wampanoags

• « Peuple de l'Est. »
• Langue : algonquian.
• Vivaient dans l'État actuel du Massachusetts. Leurs petites maisons rondes étaient regroupées en villages, à l'abri d'une palissade.
• Cultivateurs, chasseurs de petit gibier et pêcheurs.
• MASSASSOIT, leur chef, se porta au secours des pèlerins du *Mayflower*

en 1620 et leur enseigna la culture du maïs. L'implantation des colons se fit au détriment d'autres tribus, comme les Pequots.
• Massassoit mourut en 1662.
Son fils aîné METACOM, que les Blancs surnommaient le roi Philippe, lui succéda. En 1675 et 1676, il mena une guerre sanglante contre les colons

et leurs alliés Mohegans. Il fut tué en 1676, et sa nation vaincue. Des survivants furent vendus comme esclaves.

• 2 400 en 1600, 400 en 1700, intégrés dans des tribus voisines. Aujourd'hui, environ 400 descendants vivent dans la réserve Wampanoag de Martha's Vineyard (Massachusetts) dirigée par un conseil tribal.

Wampum

Pour célébrer un événement ou consigner les termes d'un traité, les Indiens Algonquins et Iroquois réalisaient des wampums (contraction de l'algonquin *wampumpeag*), composition de fragments de coquillages cylindriques enfilés comme les perles d'un collier et assemblés sous forme d'écharpe ou de ceinture. On leur accordait une grande valeur et des vertus apaisantes lors des rituels de deuil et de condoléances.
Les wampums servaient également de monnaie d'échange entre tribus et colons.

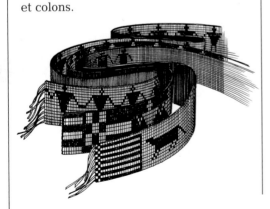

Wapiti

Son nom signifie « fesses blanches ». Hormis quelques localisations dans le sud du Canada et la vallée de l'Ohio, le cerf wapiti (*Cervus elaphus*) est principalement un habitant des Rocheuses et de la Californie. Proche du cerf européen, c'était un gibier de choix pour les Indiens (certains mâles atteignent 500 kg). Son pelage brun permettait la confection de vestes et de manteaux. Ses bois fournissaient aux Hupas la matière première pour la fabrication de cuillers dont l'usage était essentiellement réservé aux hommes.

Wappos

- Corruption de l'espagnol *guapo*, « brave ».
- Langue : yukian.
- Occupaient la vallée des rivières Russian et Naja, au nord de l'actuel San Francisco.
- Leur résistance à l'invasion espagnole leur valurent leur nom.
- 10 000 en 1770, 73 en 1910.

Wascos

- Signification inconnue.
- Langue : chinookan.
- Cours de la rivière Columbia, près de la ville actuelle de Dallas.
- 900 en 1822, 227 en 1937.

Washakie

(vers 1814-1900)

Grand chef de guerre, il unifie les SHOSHONES et lutte avec énergie contre les tribus hostiles (Sioux et Cheyennes). Persuadé que la survie de son peuple passe par un accord avec les Blancs, il multiplie les concessions et facilite le passage du chemin de fer à travers les terres indiennes. Ami de Kit CARSON et de John FRÉMONT, parlant anglais, français et plusieurs dialectes indiens, Washakie assiste l'armée US dans sa lutte contre les Blackfeet, les Crows et les Dakotas, et obtient pour les Shoshones la grande RÉSERVE de Wind River. À la bataille de ROSEBUD (1876), il sauva le général Crook du désastre.

Washington

George (1732-1799)

Commandant emblématique de la lutte pour l'Indépendance américaine. Il bat les Anglais à Yorktown (1781) avec l'aide de La Fayette et de Rochambeau. Il fait voter la Constitution en 1787 et fut élu à deux reprises président de l'Union en 1789 et 1792. Il refusa un troisième mandat.

Washita

Sur la rivière Washita, pitoyable victoire du 7e régiment de cavalerie de CUSTER, le 27 novembre 1868. 105 hommes, femmes et enfants Cheyennes, dont le chef Black Kettle, sont massacrés à l'aube. Conformément aux directives du général SHERIDAN, les 800 chevaux élevés par la tribu sont également abattus.

Washos

- De *Washiu*, « Personne ».
- Langue : hokan.
- Établi à l'ouest du Nevada.
- Connus pour leurs qualités de vanniers.
- Défaits par les PAIUTES qui les repoussèrent vers la région de Reno (1862). Le gouvernement leur proposa

Western Apaches

Voir Apaches.

White Buffalo Cow Society

SOCIÉTÉ organisée par les femmes, commune aux tribus Mandan et Hidatsa, dont le but était d'inciter, par leurs danses, les troupeaux de bisons à venir près de leurs villages.

deux réserves… que les colons blancs occupèrent avant même leur installation (1865).
• Un millier d'individus en 1845, ils étaient 600 en 1937, 666 en 1985.

Weas

Voir Miamis.

Wenatchees

• « Ceux de la rivière qui vient du canyon. »
• Langue : salishan.
• Cours de la rivière Wenatchee et lac du même nom, au centre de l'État de Washington.
• 1 400 en 1780, 52 en 1910.

White Mountain Apaches

Voir Apaches

Wichitas

• Selon les sources, de *Wits*, « Hommes », ou du choctaw *Wiachitoh*, « Grand arbre » (allusion à leur habitation). Eux-mêmes se donnaient le nom de *Kirikitishs* (sans doute « Les vrais hommes »).
• Langue : caddoan.
• Vivaient dans les Wichita Mountains en Oklahoma.
• Venus du sud, ils étaient cultivateurs de maïs, de courges et de TABAC, dont ils faisaient commerce avec les autres tribus. Devinrent chasseurs de BISONS. Honnêtes et hospitaliers, ils étaient sensibles à la moindre offense.
• Les Wichitas étaient au Kansas quand CORONADO les croisa en 1541. Premier traité en 1835 avec le gouvernement fédéral ; demeurèrent en Oklahoma jusqu'au début de la guerre de Sécession, puis furent déplacés au Kansas. En 1867, ils retournèrent définitivement en Oklahoma dans la réserve Caddo.
• 3 200 en 1780, 460 en 1970.

Wigwam

Pour les Indiens de la Forêt, ce terme signifiait « demeure » et désignait les abris coniques ou en forme de dôme, quel que soit le matériau utilisé (écorces de bouleau, joncs, peaux de caribou…). Ce nom fut utilisé par les voyageurs

pour désigner les habitations des Indiens d'une façon générale ; il prit davantage le sens de « foyer ».

Winnebagos

• De l'algonquin *Winipyagohagi*, « Peuple de l'eau trouble ». Eux-mêmes s'appelaient *Hochangara*, « Peuple de la parole vraie », allusion à leur conviction de constituer l'une des tribus mères des Sioux.
• Langue : siouan.
• Installés au nord de la rive occidentale du lac Michigan (péninsule Door et baie Green).

• Chasseurs de BISONS, ils cultivaient maïs, tabac, fèves et courges. Très hospitaliers, ils furent proches des DAKOTAS par leurs coutumes et croyances.
• Alliés des Français, puis des Anglais, les Winnebagos s'opposèrent aux Américains jusqu'au terme de la révolte de BLACK HAWK (1832). Ils furent presque anéantis par les épidémies.
• RÉSERVES au Nebraska (4 200 individus en 1990) et au Wisconsin, en commun avec les Omahas (5 000). Comme de nombreux peuples indiens, les Winnebagos déploient de grands efforts pour récupérer leurs objets, parures et autres vestiges archéologiques en dépôt dans les musées américains.

Wintuns

• « Peuple. »
• Langue : penutian.
• Côté ouest de la vallée de la rivière Sacramento, entre les villes de Red Bluff au nord et Princeton au sud.
• 12 000 en 1770, 512 en 1930, 355 en 1985.

Women National Indian Association

Mouvement féministe, très actif pour la défense des droits des tribus indiennes ; le livre de référence étant, pour le mouvement, l'ouvrage de Helen Hunt Jackson *Un siècle de déshonneur*, publié en 1881.

Wounded Knee

La mort de SITTING BULL (15 décembre 1890) plonge les Sioux dans la désolation, mais beaucoup croient fermement, selon la promesse du *messie* WOVOKA, au départ prochain des Blancs et au retour des bisons et des guerriers morts au combat. Le 29 décembre 1890, l'armée intercepte une bande de 350 Indiens (120 guerriers, 230 femmes et enfants) qui, sous la conduite du chef BIG FOOT, tentent de rejoindre la réserve de Pine Bridge. Le colonel Forsyth, qui commande le 7e régiment de cavalerie, conduit les Indiens à Wounded Knee pour les désarmer. Un incident se produit et les Indiens, persuadés d'être protégés des balles par leurs « chemises sacrées », se révoltent. Le combat s'engage, se soldant par la mort de 250 Indiens, pour la plupart abattus à la mitrailleuse en quelques minutes. La tragédie de Wounded Knee marque la fin de la *GHOST DANCE* et met un terme aux révoltes indiennes.

En 1973, des militants de l'American Indian Movement occuperont le site de Wounded Knee afin d'évoquer le passé et la situation présente des Indiens. La répression sera très dure et suscitera une vive tension dans les réserves indiennes jusqu'en 1975.

Wovoka

(1856-vers 1930)

Homme-médecine Paiute, fondateur du mouvement de la *GHOST DANCE*. Né dans le Nevada, il avait été élevé, à la mort de son père, dans une famille de ranchers blancs où il avait reçu le nom de Jack Wilson. Vers 1880, il commença à répandre des prophéties annonçant un « nouvel âge », dans lequel les Blancs et les épidémies disparaîtraient, les Indiens retrouveraient une terre abondante, les bisons reviendraient...

La *Ghost Dance* fit de nombreux disciples chez les Indiens des Plaines qui adaptèrent l'essence du message à leurs aspirations, écrivirent leurs propres chansons et créèrent leurs propres danses. En 1889, une délégation de Sioux Dakotas rendit visite à Wovoka. Elle rapporta dans la réserve des « chemises sacrées », censées être à l'épreuve des balles... Hélas, le massacre de WOUNDED KNEE (1890) vint rapidement prouver que le Nouvel Âge ne viendrait pas. Wovoka perdit rapidement sa notoriété et reprit le nom de Jack Wilson jusqu'à son décès dans les années 1930.

Wyandots

Voir Hurons

Y-Z

Yahis et Yanas

Les Yahis ont été intégrés par les Yanas.
• « Personne » dans leur langue commune.
• Langue : hokan.
• Cours supérieur de la rivière Sacramento.
• Ensemble 1 500 en 1770, 9 en 1930.

Yakimas

• Leur nom signifie « Fugitifs ».
Eux-mêmes s'appelaient *Waptailmin*,
« Peuple de la rivière étroite ».
• Langue : shahaptian/penutian.
• Établis sur le cours inférieur de
la Yakima (Washington), non loin
de la ville actuelle de Seattle.
• Pêcheurs et chasseurs
traditionnels, leurs activités variaient
au gré des déplacements saisonniers.
De début mai à fin juillet, la pêche
au SAUMON dans les eaux de la
Columbia représentait le temps fort
de l'année. Très liés aux NEZ-PERCÉS,
ils chassaient aussi le BISON.
• Rencontrés par LEWIS et CLARK
en 1805. Comme leurs voisins,
les Yakimas s'opposèrent
à l'invasion de leurs terres
par les chercheurs d'OR

227

et luttèrent de 1853 à 1859, sous la conduite de leur chef Kamaikin. Vaincus, ils se soumirent au traité de Fort Elliot et intégrèrent une RÉSERVE dans l'État de Washington.
• 3 000 en 1780. Ils partagent leur réserve avec des Klikitats, des Palouses, des Wascos ; les chiffres des recensements concernent la totalité de l'effectif de la réserve : 4 500 en 1914, 5 391 en 1970, 8 500 en 1990. Très bien organisés, ils possèdent écoles, police et cour de justice tribales. Ont modifié leur nom en Yakamas (1994).

Yamassees

• « Gentil. »
• Langue : muskogean.
• Cours de la rivière Ocmulgee au sud-est de la Géorgie.
• L'envahissement de leurs terres par les Espagnols et les Anglais provoque la révolte des Yamassees en 1715. Ils tuent 90 colons et leur famille. La réaction des colonisateurs les repousse au sud, vers la Floride où ils vont s'intégrer aux SÉMINOLES.
• 2 000 en 1650. Les quelques descendants sont impossibles à dénombrer.

Yanktons

• « Extrémité du village. »
• Ils constituent avec les Yanktonais, la division Nakota de la nation DAKOTA (dont ils partagent la même langue mais avec une différence de prononciation). *Voir* Dakotas.

228

Yavapais

• « Peuple du Soleil. »
• Langue : yuman.
• Ouest de l'Arizona.
• 600 en 1680, 194 en 1937.

Yellowknives

• Leur vrai nom *Tatsanottine* signifiait « Hommes de l'écume de l'eau ». Plus connus sous les noms

de *Copper Indians* : « Indiens du cuivre », « Couteaux Jaunes » ou « Couteaux Rouges », autant de noms faisant référence au minerai de la Coppermine River.

• Langue : athabascan.

• Occupaient les rives nord et est du Grand Lac des Esclaves.

• Chasseurs de CARIBOUS et de bœufs musqués dans la taïga canadienne. Étaient très stricts sur l'éducation des jeunes pour le combat et la chasse. Ceux-ci devaient nager dans les eaux glacées, dormir nus à l'extérieur dans le froid, jeûner pendant des jours et courir sur de longues distances.

• L'histoire des Tatsanottines a la couleur du cuivre. Riches de ce minerai qui permettait de fabriquer armes et outils, ils bénéficiaient d'une aisance privilégiée. Mais, lorsque les Européens introduisirent sur le marché des articles en fer et en acier, les Yellowknives, impuissants devant une telle concurrence, migrèrent lentement vers le sud.

• Leur effectif était estimé à 500 en 1906, un millier de nos jours.

Yokuts

• « Hommes » dans leur propre dialecte. Appelés aussi *Mariposans*.

• Langue : rattachée au penutian.

• Installés dans la vallée de San Joaquim (Californie).

• Chasseurs et cultivateurs.

• Beaucoup d'entre eux échappèrent aux MISSIONS espagnoles, mais furent

victimes de l'expansion américaine consécutive à la ruée vers l'OR (1849).

• Peut-être 18 000 en 1770, environ un millier en 1930, 504 en 1970.

Yuchis

• « Ceux qui viennent de loin. » Leur propre nom, *Tsoyama*, signifiait « Hommes du Soleil ».

• Langue : siouan.

• Établis dans l'est du Tennessee.

Yukis

- « Étranger » ou « Ennemi ».
- Langue : yukian.
- Nord-ouest de la Californie, là où se trouve leur réserve de Round Valley.
- 2 000 en 1770, 177 en 1930 avec les Huchnoms.

Yukon

Région du Canada, à l'ouest des territoires du Nord, délimitée par la frontière de l'Alaska et, au sud, la Colombie-Britannique. Le Yukon fut bouleversé par la découverte de l'or dans la vallée du KLONDIKE en 1826. Dawson, au confluent des rivières Yukon et Klondike, fut le point de convergence des milliers de chercheurs d'or. La vie des quelques tribus indiennes qui vivaient dans ces immensités de forêts en fut définitivement bouleversée.

Yumas

- Contraction par les Espagnols de *Yahmayo* : « Le fils du chef », titre de l'héritier du pouvoir dans la tribu. Eux-mêmes s'appelaient *Kwichana*, ou Quechans.
- Langue : yuman, rattaché à la famille linguistique hokan.
- Occupaient le cours inférieur de la rivière Colorado, près du confluent avec la Gila.
- D'une élégance naturelle, les Yumas étaient des guerriers redoutés. Chasseurs, pêcheurs, ils étaient aussi de

- Vivant dans une région de petites montagnes, ils étaient indépendants et farouches guerriers.
- En 1567, les Espagnols leur infligèrent de très lourdes pertes. Face à la pression des colons, ils migrèrent vers les terres des CREEKS (1729) qu'ils suivront, pour certains, en Oklahoma. D'autres grossirent les rangs des SÉMINOLES.
- Population estimée à 5 000 au XVIᵉ siècle. Le recensement de 1949 dénombrait 1 216 descendants de Yuchis, dont une moitié métissée.

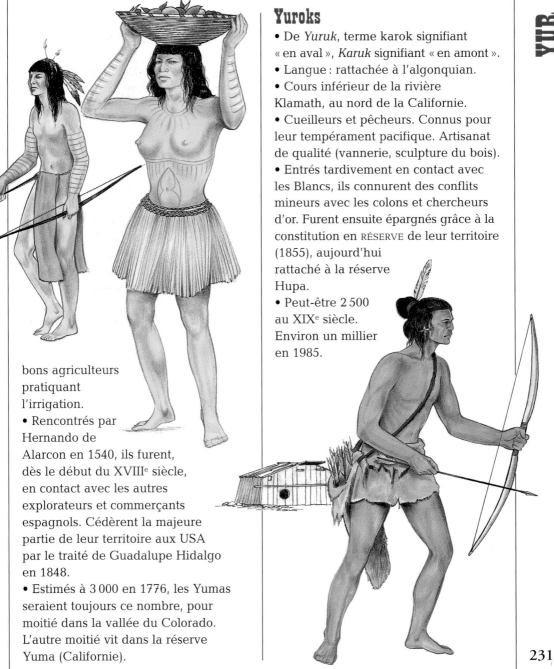

Yuroks

- De *Yuruk*, terme karok signifiant « en aval », *Karuk* signifiant « en amont ».
- Langue : rattachée à l'algonquian.
- Cours inférieur de la rivière Klamath, au nord de la Californie.
- Cueilleurs et pêcheurs. Connus pour leur tempérament pacifique. Artisanat de qualité (vannerie, sculpture du bois).
- Entrés tardivement en contact avec les Blancs, ils connurent des conflits mineurs avec les colons et chercheurs d'or. Furent ensuite épargnés grâce à la constitution en RÉSERVE de leur territoire (1855), aujourd'hui rattaché à la réserve Hupa.
- Peut-être 2 500 au XIXᵉ siècle. Environ un millier en 1985.

bons agriculteurs pratiquant l'irrigation.
- Rencontrés par Hernando de Alarcon en 1540, ils furent, dès le début du XVIIIᵉ siècle, en contact avec les autres explorateurs et commerçants espagnols. Cédèrent la majeure partie de leur territoire aux USA par le traité de Guadalupe Hidalgo en 1848.
- Estimés à 3 000 en 1776, les Yumas seraient toujours ce nombre, pour moitié dans la vallée du Colorado. L'autre moitié vit dans la réserve Yuma (Californie).

Zunis

• Déformation espagnole de *Keresan Suni-yitsi*, de signification inconnue. Eux-mêmes s'appelaient *Ashiwi*, « la chair ».

• Langue : zunian, rattaché à l'aztèque-tanoan.

• Peuple PUEBLO établi sur la rive nord du cours supérieur de la rivière Zuni, affluent du petit Colorado au nord-ouest du Nouveau-Mexique.

• Peuple de cultivateurs, experts en POTERIE, les Zunis pratiquaient comme les HOPIS le culte KACHINA. Quatre niveaux organisaient la société : les prêtres, chargés d'intercéder auprès des puissances de l'au-delà pour provoquer la pluie, occupaient le sommet de cette hiérarchie.

• Les Zunis appelaient leur terre *Shiwona* (ou *Shiwinakwin* : « La terre qui produit la chair. ») Ils participèrent à la révolte de 1680 et furent regroupés à l'issue de cette guerre sur le site de l'actuel Zuni.

• 2 500 en 1680, les Zunis sont de nos jours plus de 10 000, installés dans la RÉSERVE du Nouveau-Mexique. Ils possèdent leur propre gouvernement (écoles, police, cour de justice…), maintiennent vivantes leur langue,

leurs traditions et quelques-unes de leurs cérémonies ancestrales (comme le *Shalako*, au solstice d'hiver).

CHRONOLOGIE

Entre 40 000 et 30 000 av. J.-C. Premiers passages de l'Asie vers l'Alaska par le détroit de Béring. Une seconde vague de passage aura lieu entre 25 000 et 10 000 av. J.-C.

Vers 1000 Leif Eriksson débarque au nord de Terre-Neuve. Les Vikings fondent une colonie dans l'Anse aux Meadows.

1492-1493 Premier voyage de Christophe Colomb. Jusqu'en 1504, il accomplira trois autres expéditions vers les « Indes occidentales ».

1499-1500 Voyage d'Americo Vespucci.

1513 Incursion en Floride de Ponce de León. Quinze ans plus tard, son compatriote Pamfilo de Narvaez parcourt à son tour les côtes de Floride jusqu'à l'embouchure du Mississippi.

1534 Jacques Cartier, missionné par François Ier, s'engage dans l'estuaire du Saint-Laurent. Il prend possession du territoire au nom du roi de France et s'installe dans le village indien de Hochlaga sur le futur site de Montréal.

1539-1543 Les Espagnols Hernando de Soto et Francisco de Coronado poursuivent l'exploration du sud des États-Unis. Le second parcourt la région des Pueblos.

1541 Après avoir été accueilli favorablement, Jacques Cartier s'oppose aux Iroquois qui obligent les Français à réembarquer.

1562 et 1564 Deux expéditions de protestants français sont envoyées par l'amiral de Coligny dans le but de fonder une colonie en Floride.

1584 Sir Walter Raleigh prend possession, au nom de la couronne d'Angleterre, d'un territoire qu'il baptise Virginie en l'honneur de sa reine, Elizabeth. Une colonie est établie sur l'île de Roanoke.

1603 Samuel de Champlain reprend l'exploration de la Nouvelle-France et remonte le Saint-Laurent jusqu'au saut Saint-Louis.

1607 Trois navires pénètrent en baie de Chesapeake ; ils amènent d'Angleterre 105 colons qui vont fonder Jamestown. Ils désignent comme chef le capitaine John Smith.

1608 Champlain fonde Québec sur le site du village de Stadoconé. Il explore le cours du Saint-Laurent jusqu'au lac Ontario, développe le commerce des fourrures et fait venir des religieux pour évangéliser les Indiens.

1620 Fuyant les persécutions en Angleterre, 102 membres d'une secte protestante, les puritains, abordent au cap Cod avec leur navire, le *Mayflower.*

1626 Peter Minuit achète aux Indiens l'île de Manhattan sur laquelle ses compatriotes hollandais fondent la Nouvelle-Amsterdam.

1629 Soutenant les protestants contre Richelieu, les Anglais sont en guerre avec la France. Ils s'emparent de Québec et les Français doivent abandonner le Canada.

1636 Les colonies anglaises du Massachusetts et du Connecticut se développent rapidement. Le fanatisme des puritains les conduit à mener contre les tribus indiennes une guerre d'extermination : au nom de Dieu, il faut éliminer les sauvages, fils du Diable. La guerre des Pequots aboutit à l'extermination de cette puissante tribu.

1643 Afin que les chasseurs iroquois leur apportent davantage de fourrures, les Hollandais commettent l'erreur de fournir mousquets et munitions aux Iroquois... qui s'empressent d'agresser les tribus voisines, puis les établissements français : fermes, villages, villes. La guerre est intense jusqu'en 1667.

1675 Metacom, que les Anglais appellent par dérision le Roi Philippe, devient le chef des Wanpanoags. Il mène une croisade pour rallier les tribus et chasser les colons. Après une année de terribles combats, Philippe est tué. Cette défaite marque la fin de la résistance des tribus de la Nouvelle-Angleterre.

1681 Arrivée de William Penn et des Quakers sur un vaste territoire qui deviendra la Pennsylvanie. Dès l'année suivante, Penn signe un traité d'amitié avec les Delawares.

1682 Parti de Québec, Jean Cavelier de La Salle atteint l'embouchure du Mississippi : il prend possession de ces territoires et leur donne le nom de Louisiane en l'honneur du roi de France.

1684 Les hostilités reprennent entre Iroquois et Français ; ceux-ci, affaiblis par une guérilla incessante, ne sont plus maîtres en 1690 que de quelques places fortes, dont Montréal.

1752 L'influence française s'étend de Québec à la Nouvelle-Orléans par les Grands Lacs et les vallées de l'Illinois et du Mississippi. Les Anglais sont installés le long de la côte Atlantique et leur pénétration vers l'ouest se fait par les vallées des fleuves côtiers, de l'Hudson au nord, du Potomac plus au sud. Les Français sont 80 000, les Anglais 1 500 000.

1756 En Europe, c'est le début de la guerre de Sept Ans. William Pitt, chef du gouvernement anglais, est conscient de l'importance de l'affrontement en Amérique et envoie un puissant contingent. Les forts français tombent un à un. Québec est assiégée. Montcalm est tué et la ville tombe (1759). Montréal se rend en 1760. La France est amenée à signer le traité de Paris le 10 février 1763. Elle perd le Canada, la vallée de l'Ohio, la rive gauche du Mississippi, et ne conserve que la Louisiane.

1763 Débarrassée de la concurrence française, rien n'arrête l'expansion anglaise ; elle se fait au détriment des Indiens méprisés. À l'exception de quelques Iroquois, fidèles à leur ancien allié, toutes les tribus se soulèvent sous l'impulsion de Pontiac, un chef Ottawa. Les colons sont massacrés, les forts abandonnés par les soldats, mais les Indiens sont à court de munitions. Pontiac se soumet en 1766 ; il sera assassiné en 1769.

1773 Le développement rapide des colonies rend insupportable la tutelle anglaise. Les treize États se rebellent contre les taxations imposées par Londres. Le 19 avril 1775, le conflit se déclenche près de Boston. George Washington est nommé général en chef des forces de l'Union. Inquiétées par la naissance de ce nouvel État, les tribus indiennes se rallient à l'Angleterre, leur ancienne ennemie. Mais, soutenues financièrement et militairement par la France, les forces américaines remportent la victoire de Saratoga en octobre 1777. Après la capitulation de Cornwallis à Yorktown (1781), l'Angleterre accepte de mettre fin à la guerre. Le traité de Versailles (1783) consacre l'indépendance des États-Unis.

1782 Avant même la fin de la guerre se créée une fédération des « Nations Indiennes Unies ». Mais les tribus sont dans le camp des vaincus… et les colons acceptent mal que les « sauvages » puissent faire valoir un quelconque droit sur le sol. Des traités sont signés… traités violés sitôt l'encre séchée sur le papier.

1790 Les Indiens ne peuvent tolérer les implantations de colons dans un territoire qu'ils considèrent comme le leur. Conduits par le chef Little Turtle, ils ouvrent les hostilités et écrasent les Américains à la bataille de la Wabash (1791). Le général Wayne redresse la situation. Signé par douze tribus, le traité de Greenville (1795) est censé établir un accord durable. Les Indiens perdent plus de la moitié de la vallée de l'Ohio mais gardent « pour toujours » les terres situées à l'ouest.

1804-1806 Lancée à l'initiative du président Jefferson, l'expédition de Lewis et Clark atteint le Pacifique après avoir traversé les montagnes Rocheuses, puis revient vers l'est.

1812 L'Angleterre n'a pas renoncé à recouvrer son ancienne colonie. Elle arme et pousse les Indiens, conduits par le Shawnee Tecumseh, à des raids sur les établissements américains. L'Union déclare la guerre à l'Angleterre. Les Indiens sont partagés mais la majorité se range à nouveau derrière les Anglais. Après des débuts désastreux, les Américains reprennent l'initiative à la bataille de la Tamise où Tecumseh est tué ; ils tentent d'envahir le Canada, mais les Anglais évitent le désastre grâce à leurs alliés indiens.

1830 Le président Jackson fait adopter par le Congrès l'*Indian Removal Act* qui prévoit la concentration des Indiens en Oklahoma. Les Hurons, Shawnees, Miamis, Delawares, Potawatonees, Winnebagos sont contraints à l'exil ; au sud, les Cherokees, Creeks, Choctaws, Chickasaws subissent la même épreuve. Aucun des traités antérieurs n'est respecté. Des milliers de morts jalonnent la route de l'exil, la Piste des Larmes (1838). C'est l'un des épisodes les plus tragiques du génocide indien.

1845-1848 Annexion par les États-Unis du Texas, puis de tout le Sud-Ouest du continent, aux dépens du Mexique. Comanches et Apaches ripostent par des actions de guérilla.

1848 Découverte d'un gisement d'or en Californie dans la scierie du capitaine John Sutter. C'est le signal d'une incroyable ruée humaine qui va évincer sans ménagement les Indiens de la région.

1854 Un incident dérisoire (les Sioux se sont appropriés la vache égarée d'un mormon) entraîne une succession de tueries. Les Sioux, sous la conduite de leurs plus grands chefs (Spotten Tail, Little Crown, Red Cloud, Crazy Horse, Sitting Bull…), commencent une guerre qui, en fait, ne s'achèvera qu'en 1890 à Wounded Knee. En 1868, le traité de

235

Fort Laramie accorde satisfaction aux Sioux sur la chasse aux bisons. Cette victoire indienne sera suivie de quelques années de paix.

1858 Début de l'ultime phase des guerres Apaches où s'illustrent Cochise, tué en 1874, et Geronimo, qui se rend en 1886.

1861 La guerre de Sécession divise les États de l'Union… et les Indiens. Beaucoup optent pour le Sud, mais des tribus, tels les Cherokees, sont tragiquement partagées. Beaucoup d'Indiens meurent dans les combats et la fin de la guerre annonce une nouvelle ruée vers l'Ouest.

1862-1875 Extermination systématique des bisons de la Grande Plaine, en particulier lors de la construction du chemin de fer transcontinental.

1864 Un parti de Cheyennes pacifiques se met sous la protection de la bannière étoilée près de Fort Lyon, dans une boucle de la Sand Creek. Une troupe de 700 cavaliers menée par le colonel Chivington s'abat sur le village, tuant hommes, femmes, vieillards et enfants. Le massacre de Sand Creek semble réveiller la conscience des Blancs dont beaucoup se déclarent indignés.
En 1865, le gouvernement propose le traité de paix de la Washita. Les tribus acceptent de réintégrer leurs réserves.

1865 Le général Sherman, commandant des forces du Mississippi, charge le général Hannock de réduire les Dog Soldiers. Soldats d'élite Cheyennes, Sioux, Arapahos, ils contestent les traités, mènent une action indépendante et menacent le chantier du chemin de fer transcontinental. S'ouvre alors une série d'actions opposant les tuniques bleues aux plus farouches guerriers des plaines. Les Dog Soldiers sont vaincus en 1869… mais ils sont relayés par les Kiowas et les Comanches qui poursuivent la guérilla jusqu'en 1873.

1871 Le Congrès abandonne la politique des traités. Aucune tribu ou nation indienne n'est désormais reconnue en tant que puissance indépendante.

1872 Le gouvernement achève la construction d'une voie ferrée entre les monts de la Big Horn et les Black Hills. L'installation d'un fort permet la découverte d'un gisement d'or… et c'est la ruée des aventuriers. Le gouvernement veut acheter la région, mais les chefs Sioux refusent de vendre leur montagne sacrée. Le général Crook est désigné pour mater les Indiens : il est défait à la bataille de Rosebud le 17 juin 1876. Une semaine plus tard, Custer est écrasé à Little Big Horn. Les Sioux tentent de gagner le Canada mais sont poursuivis sans merci.

1877 La guerre des Nez-Percés dans l'Idaho et le Montana aboutit à la reddition finale de Chef Joseph.

1878-1879 Les Cheyennes du chef Dull Knife ont déposé les armes. Ils sont conduits de force en Oklahoma. En septembre, 300 d'entre eux reprennent le chemin de leur pays. Malgré les difficultés et leurs 2 000 poursuivants, ils parviennent au but après deux mois de carnage. Décimés mais vainqueurs, les Cheyennes obtiennent une réserve dans le pays des Bisons.

1887 Le *Dawes Act* distribue les terres tribales en parcelles de 160 arpents par famille. Censée transformer les Indiens en petits propriétaires, la loi permet, en fait, le démantèlement des réserves et le rachat à bon compte des terres… par les agriculteurs blancs.

1889 Rompant avec les engagements passés et la solution imposée aux tribus en 1830 *(Removal Act)* visant à les regrouper dans le territoire de l'Oklahoma, le gouvernement de l'Union ouvre les frontières de cet État à la colonisation blanche.

1890 Un vent de mysticisme souffle sur les réserves indiennes annonçant le retour d'un messie… indien ! La *Ghost Dance* exalte les esprits… les autorités inquiètes envoient des troupes chez les Sioux qui suivent le mouvement. Sitting Bull est tué… Les tribus regagnent leurs réserves sauf une bande de Sioux-Hunkpapas parqués à Wounded Knee. Un malentendu déclenche un nouveau massacre : plus de 300 Indiens, hommes, femmes, enfants, sont tués.

1924 Par l'*Indian Citizenship Act*, les Indiens nés aux États-Unis deviennent citoyens américains à part entière.

1928 Rapport de Lewis Meriam. Pour la première fois, il est proposé d'orienter la politique menée à l'égard des Indiens, en tenant compte des souhaits des intéressés et de la réparation des torts causés.

1934 Dans le cadre du New Deal de Franklin D. Roosevelt, John Collier, commissaire du Bureau des Affaires Indiennes, propose avec l'*Indian Reorganisation Act* une réforme culturelle et politique. Les Indiens seront désormais consultés et invités à choisir le système d'organisation de leur société : gouvernement tribal élu à la majorité ou choisi par les Anciens.

1953 Sous l'administration Eisenhower, la Chambre des Représentants vote la Résolution 108 qui rompt avec la responsabilité fédérale à l'égard des Affaires indiennes. Présenté comme un acte de libération, la résolution est, en fait, un moyen pour le gouvernement de s'exonérer de la charge financière de sa politique indienne.

1961 Relayant les objectifs du NCAI *(National Congress of American Indians)*, de jeunes Indiens constituent le NIYC *(National Indian Youth Council)* pour faire entendre la voix des plus pauvres et interpeller les autorités pour faire respecter certains droits historiques.

1968 Fondation de l'AIM *(American Indian Movement)*, plus exigeant dans la contestation.

1969 Occupation de l'île d'Alcatraz, dans la baie de San Francisco, pour sensibiliser la conscience américaine sur la misère des réserves et la volonté de maintenir les traditions indiennes.

1973 Occupation du site historique de Wounded Knee (Dakota du Sud) pour rappeler le massacre de 1890 et dénoncer l'inefficacité du Bureau des Affaires Indiennes.

1978 La « Longue Marche » indienne, de San Francisco à Washington, est organisée au nom du « Pouvoir Rouge » et de ses revendications.

1983 Par le *Statement on Indian Policy*, l'administration Reagan confirme sa politique libérale : élimination des entraves administratives et incitation des Indiens à ouvrir leurs réserves à la libre entreprise et à l'aventure industrielle. Fort heureusement, malgré les difficultés du parcours, les Indiens n'ont pas renoncé à se faire entendre tant aux États-Unis que sur la scène internationale. Si le sort des réserves est toujours aussi incertain, la tragique histoire du peuple Indien et le message qu'il nous délivre dans sa volonté de survie nous invitent, face aux menaces environnementales et guerrières, à nous interroger sur notre propre avenir et sur celui de la planète.

1990 Le recensement national indique, pour les États-Unis, une population indienne de 1 878 000 individus. Les « nations natives » les plus nombreuses sont les Cherokees, Navajos, Chippewas (Ojibwas), Sioux et Choctaws.